D0494939

Zwart-wit

De woorden die aangeduid zijn met een * worden achteraan uitgelegd in een verklarende woordenlijst.

Zwart-wit

Mark O'Sullivan

Uitgeverij Clavis, Hasselt

Voor Joan, Jane en Ruth

Nance

Ik veronderstel dat je het een vertraagde schok zou kunnen noemen. Twee weken geleden had ik de foto gevonden en mijn leven was normaal verder gegaan. Tenminste, zo moet het hebben geleken voor OD, mijn vriend, en voor iedereen. Maar vanbinnen was ik helemaal verdoofd. Ik kon niet denken, ik kon niet studeren. Ik voelde niets. En toen brak ik.

Het kind op de foto was ik. Ik wist het zeker. Mijn bruine huid, de dichte zwarte krullen, iets rond de ogen. Ik weet niet hoe lang ik daar heb zitten staren naar de foto, voordat ik hem heel precies teruglegde op de plaats waar ik hem gevonden had, maar tot op de dag van vandaag kan ik me er ieder detail van herinneren. De ongelofelijk blauwe hemel, de weelderige, groene bomen op de achtergrond, de felle kleuren van hun kleren. Er stonden vijf volwassenen op de foto. Mijn adoptiemoeder May stond jong en met een fris gezichtje tussen een man en een vrouw, twee echte hippietypes die eruitzagen of ze een maand niet hadden geslapen. Maar het was het paar op de voorgrond dat pas echt mijn aandacht trok. Ik hoefde geen twee keer te kijken om zeker te weten dat dat mijn natuurlijke moeder was, met het kleine, zwarte kindje in haar armen. Dan was er ook nog de man die naast haar knielde. Lang en donkerder dan ik ben, maar met mijn ogen. Mijn vader. Daar was ik zeker van.

Het vreemde aan de foto was dat niemand van hen lachte, behalve de vrouw die me vasthield. Dat overtuigde me er nog meer van dat zij werkelijk mijn natuurlijke moeder was.

Tom en May hadden me altijd verteld dat zij mijn natuurlijke ouders nooit hadden gekend.

Het eerste wat ik voelde, voordat ik ophield met nog maar iets te voelen, was schuld, omdat ik de foto had ontdekt achterin de kleerkast van Tom en May. Het was niet de eerste keer dat ik daar, tussen May's oude kleren, op zoek was naar spulletjes die nu opnieuw in de mode waren - broeken met wijde pijpen, Adidas-kleren. May gooit nooit iets weg. Maar, als ze wist dat ik vaak tussen haar dingen rommelde, waarom had ze de foto daar dan achtergelaten? Het is toch niet iets wat je zomaar vergeet?

En de blonde vrouw op de foto, de vrouw die de baby vasthield? Ik had haar nog nooit eerder gezien, maar ik veronderstelde dat zij dezelfde was als degene met wie May naar Kenia was gegaan, als jonge lerares in 1975. Heather. Heather Kelly. May had haar ooit een of twee keer zijdelings genoemd en ik had nooit vragen gesteld. Eigenlijk stelde ik zelden vragen over dat verre stukje van mijn leven. Ik denk dat ik diep vanbinnen voelde dat, als ik dat deed, ik dingen zou ontdekken waarvoor ik nog niet klaar was om ze te weten.

Ik had geen reden om te twijfelen aan het verhaal zoals ik het kende. Tom was in 1977 naar Kenia vertrokken en had zich aangesloten bij de staf van May's school buiten Nairobi. Ze trouwden begin 1979. Later dat jaar, een paar maanden voor ze naar Ierland vertrokken, adopteerden ze mij. Ik was, zeiden ze, het kind uit een gemengd huwelijk en mijn ouders waren omgekomen bij een auto-ongeval.

OD had me meer dan eens gezegd dat het hem verbaasde dat ik nooit méér te weten wilde komen over mezelf. Ik zei alleen maar tegen hem dat ik wist wie ik was. Maar het voelde toch altijd aan als een leugen. En met leugens kun je gemakkelijk leven als je ze diep genoeg begraaft. Ik begroef de mijne onder een zwaar studieschema, sport... en uitgaan met OD.

Ik hield niet veel tijd over om na te denken over hoe anders ik was. Maar of ik het nu leuk vond of niet om het toe te geven, ik was anders. Ik was de enige kleurlinge in een stad van zevenduizend inwoners, wat zo anders is als je maar kunt zijn, denk ik. Maar ik wist zeker dat het niet verder ging dan dat. Voor de rest was ik hetzelfde als iedereen en het gebeurde zelden dat ik het gevoel kreeg niet bij de anderen te horen. Als ik er al aan werd herinnerd, voelde ik me nooit vernederd, waarom zou ik? Wat ik voelde, was woede. En bovendien had ik veel verdedigers, als ik ze nodig had.

Zoals die keer dat een stel van ons in de achterzaal van de Galtee Lounge aan het kijken was naar Ierland, dat een kwalificatiematch speelde voor het WK. We waren er met ons achten, maar er dronken er maar een paar: Johnny Regan, een puisterig drugskonijn en een echte onderkruiper, en OD natuurlijk. Toen dacht ik nog steeds dat ik OD op het rechte pad kon brengen, dat ik alleen maar hoefde te wachten en geduld moest hebben.

Johnny werkte met OD aan het Fásproject, om een nieuw stadspark aan te leggen. Toen een eerder slecht ontzetten van de bal door Paul McGrath tot een doelpunt leidde, ging Johnny uit zijn dak.

"Zwarte klootzak!" brulde hij. Iedereen keek naar mij. Behalve Johnny, die te verpletterd was om iets te merken.

Ik pakte zijn bierglas en goot de Guinness over zijn vette kop. OD greep hem bij zijn nekvel en met de hulp van zijn maffe vriend Beano gooide hij Johnny er via de achterdeur uit.

Daarna trok Johnny niet meer met ons op, maar hij zette het ons betaald toen het verkeerd begon te lopen tussen OD en mij.

Maar, zoals ik al zei, die dingen gebeurden niet zo vaak. Als het al gebeurde, dan voelde ik uiteindelijk toch altijd dat de mensen aan mijn kant stonden, zodat ik het snel kon vergeten.

Met de eindexamens die er in minder dan drie maanden aankwamen, had ik nog minder tijd dan anders om me af te vragen wie ik was. En er was ook nog OD om me zorgen over te maken. Hij maakte een troep van zijn leven en ik vroeg me af hoe ik hem de zin ervan kon doen inzien.

Toen, op maandag vier april, vond ik de foto. Ik denk vaak dat het drie dagen eerder had moeten gebeuren, op één april, wat een grap.

Twee weken later zat ik bij een laaiend vuur in onze zitkamer. May en Tom waren uitgegaan, zoals ze wel vaker doen op zondagavond, naar vrienden. OD was al eerder langsgeweest en wilde met me uitgaan om de overwinning van zijn ploeg op St. Peter, in de jeugdcompetitie, te vieren.

Begrijp me niet verkeerd, ik hou van voetbal. Maar als je vriend bij het jeugdelftal van de stad speelt en je vader, je adoptievader, is er de manager van, dan word je weleens moe van al dat geklets over voetbal.

OD was aangeschoten. St. Peter had twee punten voorsprong op ze gehad bij het begin van de match en hij had het winnende doelpunt gescoord.

"Kunnen we niet naar de film gaan?" vroeg ik.

Ik wist dat er die avond iets zou gebeuren omdat ik weer was gaan nadenken. Ik voelde dingen die ik al twee weken probeerde te vermijden. Ik had geen zin om met iedereen te praten en te doen alsof alles rozengeur en maneschijn was. OD had moeten beseffen dat ik niet mezelf was, maar hij liet me in de steek. Ik had behoefte aan de troost van stilte, hij wilde prettig, lawaaierig geroezemoes. Het was het begin van het einde.

"Je wilt *The Bodyguard* zien," grijnsde hij spottend, "alweer!"

Het was een oud grapje - blanke jongen redt zwart meisje - en ik vond het niet leuk.

"We kunnen een video halen en thuisblijven."

"Tom kan me niet luchten of zien, dat weet je. Hij zou het besterven als hij me hier betrapte."

"We zijn al eerder thuisgebleven en hij heeft er nog nooit iets van gezegd."

"Hij zegt misschien niks, maar ik weet hoe hij naar me kijkt. Voor hem kon ik gewoon niet snel genoeg van die stomme school verdwijnen. Zodra hij de kans krijgt, zet hij me ook nog uit de ploeg."

"Je had geen uitvluchten nodig om van school te gaan, OD."

Toen begon het gewone, venijnige gekibbel: ik die hem vertelde dat hij alles weggooide, en hij die mij vertelde dat alles beter was dan het gehakketak van, vooral van Tom, die onderdirecteur was van onze gemeenteschool.

OD was nooit een echt studiehoofd geweest. Altijd te druk met voetbal, rugby, hurley*... en rotzooien. Toch was hij er altijd in geslaagd om bij de top vijf van onze klas te behoren en in de lagere klassen lagen zijn resultaten niet ver beneden mijn zeven A's en twee B's. Hij leek heel gemakkelijk te leren. Maar in de vijfde begon hij af te zakken. Toen begon ik met hem uit te gaan en kwam ik erachter wat er aan de hand was.

Zijn ouders waren uit elkaar gegaan. Zijn moeder was net naar Engeland vertrokken en liet OD en zijn vader, Jimmy, achter in een staat van ongeloof die al snel veranderde in woede bij OD. Woede, niet ten opzichte van zijn moeder, maar ten opzichte van Jimmy en van iedereen om hem heen. En ten opzichte van zichzelf, natuurlijk.

Al snel gaf hij er op school de brui aan. Ik kon hem er niet toe brengen in te zien dat hij zichzelf strafte voor de fouten van een ander. Maar ik kon hem ook niet in de steek laten, niet op zo'n moment. Bovendien vond ik het fijn om bij hem te zijn. Hij was lang en donker met wijdopen ogen en er gebeurde altijd iets als hij in de buurt was. Als dat niet zo was, dan zorgde hij daar wel voor. Hij kon grappig zijn als je zin had om te lachen en ernstig als je in

9

de stemming was om te praten.

Als hij dronken werd, was het een ander verhaal. Ik weet niet wat het was, ik die blind was, of hij die voorzichtig was, maar het duurde maanden voordat ik besefte dat hij te veel dronk. Misschien kwam het door het feit dat hij in plaats van lawaaierig, zoals je zou verwachten, juist rustig werd. Na verloop van tijd begon hij steeds meer te drinken waar ik bij was, alsof mijn zwijgen een soort aanvaarding was, en ik begon te merken dat die rust niets te maken had met kalmte. Steeds meer voelde ik die uitstraling van nerveuze, opgekropte energie in hem, alsof hij zijn hersens even hard balde als zijn vuisten. Dat gebeurde als de bittere grappen, zoals die van *The Bodyguard*, eruit kwamen. En er was ook nog iets anders. De spanning die ik voelde als hij zo werd, voelde ik ook na een droom die ik zo nu en dan had, al zolang ik mij kan herinneren.

In de droom ben ik heel jong en klein en verberg ik me op een donkere plaats. Ik kan niets zien, maar ik weet dat er iets ergs aan het gebeuren is, buiten mijn schuilplaats. Ik kan het geluid van ruzie horen, maar kan de stemmen niet herkennen. De droom eindigt met een harde knal. Ik baad in het zweet als ik wakker word. Diezelfde angst overviel me als OD zo deed. Dan sloop de echte twijfel binnen en besefte ik dat ik nooit in dat verwarde hoofd van hem zou kunnen doordringen.

Beano - Brendan Doyle, OD's vriend - had zijn eigen theorie. "Hij leest te veel boeken," zei hij tegen me. "Ik zag hem een keer een dichtbundel lezen. Niet voor school of zo. Hij had dat ding echt gekocht!"

Maar terug naar die zondagavond. We eindigden zoals gewoonlijk met een paar laatste schimpscheuten.

"Wat is er nu eigenlijk op de tv, alleen rommel," zei hij. Dan weer een steek: "Rommel zoals de *Cosby show*."

10

Een andere bittere, oude grap: ik was het welgestelde zwarte meisje uit de middenklasse, net als de Cosby's, hij de arme blanke jongen.

"En in welk programma pas jij? *Home and Away?*" vroeg ik smalend.

Ik had moet weten dat hij een gevat antwoord klaar zou hebben.

"*Only Fools and Horses,*" zei hij, "zonder de grappen."

"Hoepel op, OD. Ga jezelf onnozel drinken. Doe alsof je leeft."

"Praat niet zo tegen me."

"Je houdt toch van stoere praatjes?"

"Het is jouw schuld. Jij drijft me zover, Nance."

"Bij jou is het altijd de schuld van een ander, nietwaar?"

Zijn hersens werkten op volle toeren, maar de gevatte antwoorden bleven uit. Hij probeerde het niet meer.

"Ik ben hier weg," mompelde hij en slingerde een beetje toen hij naar de deur van de zitkamer liep.

Buiten in de hal raakte zijn hand op de een of andere manier verstrikt in het telefoonsnoer toen hij erlangs liep. Toen hij zich probeerde te bevrijden viel de telefoon op de grond.

"Zie je nu wat ik doe door jou?" zei hij. Hij deed niet eens moeite om hem op te rapen.

Ik sloeg de deur zonder een woord achter hem dicht en ging terug naar de zitkamer. Ik opende het aardrijkskundeboek waarin ik had zitten studeren voordat hij kwam. OD had het me gegeven toen hij van school was gegaan. Zijn initialen stonden nog steeds op het omslag.

Ik bladerde door het boek en kwam bij het hoofdstuk over Afrika. Mijn vinger volgde langzaam de omtrek van dat continent tot hij bij Kenia kwam. Ik scheurde de bladzijde er venijnig uit, verfrommelde hem en smeet hem in het vuur. Hetzelfde deed ik met iedere andere bladzijde van het boek.

Toen trok ik de kaft aan flarden en keek toe hoe de vlammen de initialen, 'OD', insloten en opvraten, en hoe de tere zwarte resten naar beneden vielen tussen de roodgloeiende kolen.

Het wiskundeboek kwam daarna. Ik hou van wiskunde, je kunt zulke voorspelbare, nette antwoorden vinden, maar wiskunde zou niet helpen bij dit probleem. Europese geschiedenis volgde, daarna Ierse geschiedenis, boekhouden, ieder leerboek dat ik kon vinden. Het laatste was een Engels boek. Tom was mijn leraar Engels.

Daarna begon ik aan mijn aantekeningen. Macbeth, poëzie... en de schouw begon met zo'n lawaai te brullen en te loeien dat ik het tot in het diepst van mijn buik kon voelen.

Grote brokken stomende zwarte rommel vielen omlaag in de haard. Ik rende naar buiten naar het gazon aan de voorkant en zag vlammen uit de schoorsteen schieten. Gordijnen bewogen in het huis aan de overkant en ik schreeuwde: "Bemoei je met je eigen zaken!"

Ik ging weer naar binnen en belde de brandweer.

"Wat is het probleem?" vroeg de vrouw aan de andere kant van de lijn.

"Brand," zei ik dwaas. "Stuur iemand om me te helpen."

OD

Ik hield van de avonden in de weekends. Ik had altijd genoeg geld om uit te geven en dat gaf me het gevoel beter af te zijn nu ik niet meer op school zat. Als er iets te vieren viel, zoals St. Peter verslaan en het winnende doelpunt scoren, was het nog beter. De hele avond zou ik er niet één keer aan denken dat ik de volgende ochtend gebroken zou zijn en een kater zou hebben.

Om de een of andere reden kan ik me niet herinneren dat onze match dat weekend verschoven was van zaterdag naar zondag. Na de wedstrijd had ik zin in plezier en Nance was lastig. Daar maakte ze een gewoonte van. Als ik erover nadenk waren de reden waarom ik haar mocht en de reden waarom ze op mijn zenuwen werkte in wezen dezelfde. Ze had haar eigen gedachten, een min of meer koele, onafhankelijke geest die haar anders maakte dan ieder ander.

Als ze op me in praatte over van school gaan en zo, was er iets kouds en sarcastisch in haar manier van praten. Het was of ze me waarschuwde dat ze niet eeuwig zou blijven omgaan met iemand die geen toekomst had. Dat haatte ik. Ik dacht niet meer na en wond me op. Dat doorzag ze ook. Ze gaf me het gevoel een hersenloos primitief wezen te zijn, klaar om er elk moment op los te slaan, zelfs op haar. Het was waar dat er een paar mensen waren waar ik graag achteraan zou gaan, maar dat zat allemaal in mijn hoofd en ik wist zeker dat het daar zou blijven.

Dat gedoe van me toen ik die telefoon omverliep was ook zoiets typisch. Zoals ze naar me keek! Je zou zweren dat ik het met opzet had gedaan. Ik heb de telefoon niet opgeraapt omdat ik wist dat als ik dat deed, ik hem door het glas van de voordeur zou smijten.

Het grappige was dat ik met haar begon uit te gaan om haar ouweheer te pesten. Ik kon goed met hem overweg tot de dingen thuis verkeerd begonnen te lopen. Toen de dingen die al lang verkeerd zaten naar buiten begonnen te komen, moet ik eigenlijk zeggen. Tom Mahoney ging in de aanval toen ik een keer te vaak aankwam zonder iets gedaan te hebben. Nooit zou ik hem vertellen dat ik in een oorlogsgebied woonde en dat het erger was wanneer ze zwegen dan wanneer ze tegen elkaar schreeuwden.

Op de eerste schooldag in september heeft hij het me duidelijk laten verstaan. Ik had drie weken om hem te bewijzen dat ik mijn diploma verdiende. Ik zei hem waar hij het kon steken en de dingen gingen van erger tot afgrijselijk. Aan het eind van de drie weken hield ik het voor bekeken. Een week later nam Mahoney het over als manager van het jeugdelftal. Ik had toen al moeten weten dat je niet weg kunt lopen. Dat Mahoney haten alleen maar een uitvlucht was.

Dus vroeg ik Nance een tijdje later ten dans in een disco. Ik had niet meer dan vijf minuten met haar gepraat en ik was alles vergeten over Mahoney.

Voordat de avond om was, had ik haar alles verteld. Alles over mijn ouders en het gehakketak met Mahoney. Ze probeerde me niet te paaien en stelde geen vragen, maar op de een of andere manier trok ze alles uit me. Het was of ik had gewacht op de juiste persoon om te luisteren.

Mijn vader was een alcoholist. Hij naderde zijn vijftigste verjaardag: een mislukte muzikant, een mislukte echtgenoot, een mislukte vader. Vroeger had hij trompet gespeeld in showbands en het ging hem goed. Hij stond enige tijd bijna aan de top met een band die de New Mexicanos heette. We hadden thuis twee exemplaren van een oud muziektijdschrift, *Spotlight*, waar hij op een paar foto's staat te glimlachen. Hij draagt een maffe sombrero en een zwart fluwelen pak, met in gouddraad geborduurde revers.

Ik heb ze eens aan Beano laten zien. Waarom weet ik niet. "Je lijkt sprekend op hem!" zei hij. Dat maakte me razend. Ik joeg Beano naar huis en ik heb ze nooit meer bekeken.

In ieder geval stortte de wereld van de showbands in toen de disco's in raakten. Toen was het afgelopen voor de New Mexicanos en veel andere bands. We verhuisden voor een jaar naar Dublin en mijn ouweheer probeerde er binnen te raken in het jazzwereldje, maar het lukte niet. Ik denk dat dat meer pijn heeft gedaan dan het instorten van de New Mexicanos. Jazz was, wat hem betrof, 'the real music'. Zo heb ik mijn naam ook gekregen. Ik ben naar twee vroegere groten uit de jazz genoemd. De 'O' staat voor Oliver, King Oliver. De 'D' is van, geloof het of niet, Dizzy, Dizzy Gillespie. Toen ik nog klein was, noemden ze me Oliver of, nog erger, Ollie. Ik kwam zelf met 'OD' op de proppen toen ik een jaar of twaalf was. Dizzy had beter gepast, want zo was ik, altijd draaierig. We kwamen terug naar de stad en hij speelde een jaar of zeven, acht met een maat van hem in pubs. Het drinken werd erger. Toen stierf zijn vriend aan een hartaanval. Daar is Jimmy nooit overheen gekomen.

Hij verkocht zijn trompet en heeft het geld in één week opgedronken. Het was vijfenveertig pond*, dat herinner ik me nog goed. Hij gaf mam een vijfje. Ik kreeg een pond. Hij heeft het opnieuw van me geleend aan het eind van de week en ik heb het nooit meer teruggezien.

De waarheid was dat hij op was, lang voordat zijn vriend overleed. Hij had een ziekte aan zijn tandvlees en de paar tanden die hij nog over had, moesten worden getrokken. Je kunt geen trompet spelen zonder tanden, dus kreeg hij een kunstgebit. Het voldeed voor een poosje, maar op het eind kon hij de pijn niet meer uitstaan van het plastic, of wat het ook mag zijn, dat knelde om

15

zijn rauwe tandvlees, dat vertelde hij ons tenminste. Ik geloof dat het waar was, want op de dag dat hij zijn trompet verkocht heeft, heeft hij zijn gebit uitgedaan en uitgelaten. Hij zag er daardoor nog ouder uit dan daarvoor.

Toen gaf mam hem op. Ik kon het niet zeggen voordat ze vertrok, maar ik wist dat ze haar best had gedaan. Ze had zelfs rare baantjes aangenomen om de extra's te betalen die ik nodig had voor school. Ze kreeg nooit een woord van dank. Niet van hem. Niet van mij. Misschien verdiende ik het dus ook niet om te worden gewaarschuwd. Maar het moeilijkste, de beslissing om te vertrekken, had ze al achter de rug. Dan was ze er toch niet dood van gegaan als ze afscheid van me had genomen?

Ook toen weer had ik het moeten weten. De avond voor ze vertrok, sprak ze voor de eerste en voor de laatste keer met me, over hem. Ik bedoel dat ze écht over hem praatte. Ze kraakte hem niet, waar ze het recht toe had, maar ze vertelde over hoe ze elkaar hadden ontmoet en hoe goed ze het vroeger hadden.

Het was in zijn New Mexicanos-tijd. Hij was al dertig, maar zag er niet zo uit. Zij was zeventien. Het was haar eerste dansavond. Mijn ouweheer kwam naar de micro om te zingen. Een oud liedje van Elvis, zei ze: 'The Wonder of You'. Toen ze het zachtjes begon te neuriën wist ik niet waar ik moest kijken, maar ik luisterde. Ik was dichter bij haar dan ooit, in die laatste dagen.

Op dat moment was ze kilometers verwijderd van de schreeuwende ruzies en van die afschuwelijke avond dat ze tot een echt handgemeen kwamen. Ik weet niet wie wie het eerst geslagen had, maar, hoewel ik twaalf jaar was, ik plaste die nacht in mijn bed. Ik wilde hen geen van beiden de lakens laten verschonen. Ik deed het zelf en nog een hele week daarna. Het was een deel van dat nare verhaal dat ik achterhield voor Nance. Het wilde er gewoon niet uit. Als dat wel was gebeurd, dan had Nance misschien begrepen

16

dat ik haar nooit zou kunnen slaan, nog in geen duizend jaar.

Toen ik die avond naar mam keek, leek dat allemaal ver weg. Er waren geen tranen. Ze was niet meer zoals dat gelukkige meisje, maar verbitterd leek ze ook niet. Toen had ik het moeten weten.

"Nog voordat hij aan het eind van het liedje was," zei ze, "was ik... nu ja, tot over m'n oren. Ik vond hem de allerknapste kerel die ik ooit had gezien. Hij zag eruit zoals jij nu."

Ik dacht dat ik wat zou krijgen toen ik dat hoorde, maar ik hield me in. Daar was ik goed in, dingen inhouden. Iets wat ik niet aanbeveel, want het is rampzalig als het naar buiten komt sijpelen, geloof me.

De avond van ons feest, na de match tegen St. Peter, hield ik het nog steeds allemaal in. Zo ongeveer.

Beano bracht me van de Galtee Lounge naar huis, klaar om me op te vangen als ik zou vallen en me ervan overtuigend om niet bij Nance langs te gaan. Het was bijna één uur 's nachts. Ik vond mezelf heel redelijk. Als hij er niet was geweest was ik in zeven sloten tegelijk gelopen.

Beano was achttien en we waren al negen jaar boezemvrienden. Hij was klein voor zijn leeftijd en hij was een albino: wit haar, spierwitte huid en roodachtige ogen. We hadden elkaar ontmoet in de derde klas van de basisschool. Hij was al een jaar blijven zitten omdat hij niet mee kon. Tot de vijfde klas bleven we samen, toen bleef hij weer zitten, en nog een keer. Hij kwam van de lagere school toen hij veertien was en kapte ermee. Ondanks alles bleven we vrienden en ik was jarenlang zijn beschermer, tot hij de mijne moest worden.

Beano's vader is Snipe Doyle, die ploegbaas was bij het Fás-project toen we het stadspark aanlegden. Hij mocht me niet. Dat is zachtjes uitgedrukt. En dan nog, hij mocht niemand erg graag, zelfs Beano niet. Moest er een smerig, halsbrekend karweitje op

17

het terrein worden opgeknapt waar niemand zin in had, dan was de kans groot dat Beano en ik het konden doen. Beano zweeg als ik erover begon. Het maakte niet uit wat Snipe deed of tegen hem zei, hij zei geen kwaad woord over zijn ouweheer.

Die zondagavond bracht Beano me uiteindelijk tot het hek voor mijn huis. Toen moest hij zich een poëzievoordracht laten welgevallen. Ik had net 'The Force That Through The Green Fuse' van Dylan Thomas uit het hoofd geleerd. Ik had er niet echt een idee van waar het over ging, maar de woorden klonken zo goed dat ik ze niet van me af kon zetten. Het was of deze taal alles over het leven zei. En als je het maar hard genoeg probeerde, dan kon je het begrijpen en dwars door de wolken rotzooi om je heen kijken.

Na heel wat overredende woorden sleepte ik mezelf naar binnen en vond Jimmy slapend in zijn rottige leunstoel bij een haard vol koude as. Zijn hoofd lag achterover, in het kussen van zijn schouderlange, sluike haar. Zijn tandeloze mond stond open. Ik ging in een stoel tegenover hem zitten en keek voor me uit, tot hij bijkwam.

Het laatste wat ik verwachtte was de brede grijns waarmee hij me aankeek toen hij wakker werd. Ik viel haast om toen hij aanbood om een kopje thee voor me te zetten. Ik gaf hem geen antwoord. Hij stond op en liep in een kaarsrechte lijn naar de gootsteen in de keuken om de ketel te vullen. Ik begreep niet waarom hij niet dronken was. Eigenlijk was het al een paar maanden geleden dat ik hem nog in die staat had gezien. Maar dan nog, meestal was hij al naar bed als ik thuiskwam, dus dat zei niets.

"Ik heb gehoord dat je een mooi doelpunt gescoord hebt vandaag," zei hij toen hij stond te wachten tot het water kookte.

Hij praatte nooit over voetbal. Ik werd snel nuchter.

"Hoe komt het dat je vanavond niet uit bent geweest?" vroeg

ik. "Alles gisteren al uitgegeven zeker?"

Hij schudde zijn hoofd en die stomme glimlach verscheen weer. Ik nam het persoonlijk op.

"Waar dient die stomme grijns voor? Als je denkt dat ik grappig ben als ik zat ben, moet je eens naar jezelf kijken."

"Dat heb ik gedaan, OD, dat heb ik gedaan."

De thee was slap en zeperig zoals altijd. Toch dronk ik hem op. Ik had een excuus nodig om op te staan en te ontdekken wat er aan de hand was. Uiteindelijk kwam hij er zelf mee voor de dag.

"Ik was na het avondeten in de stad en ik kwam een vent tegen die ik al jaren niet meer had gezien," begon hij.

Ik zat te staren naar het poederachtige, witte randje kalkafzetting bovenaan mijn kopje. Weer zag ik die heilige glimlach.

"Die verdomde grote, groene BMW duikt naast me op en ik denk nog dat het iemand moet zijn die ik geld schuldig ben. Dan stopt hij en springt eruit, zo bruin als een kokosnoot. Tommy Halferty, de drummer van de New Mexicanos. Ik sta versteld dat hij me nog herkent, maar hij vertelt me in elk geval dat hij nu in de pub-business zit. Twee pubs in Cork en eentje aan de Costa Del Sol, de 'Green Castanets'."

"Dan ga je emigreren!" zei ik wreed. Maar ik denk niet dat hij me zelfs maar gehoord heeft.

"De showbands zijn weer in, vertelde hij me. Iedereen van de groep van vroeger is er weer bij en ze komen samen in die pubs. Hij zegt: 'Jimmy-boy, pak die trompet, jij was de beste.' Hij zegt: 'Als die disco's er niet geweest waren, had jij met deze auto gereden, Jimmy.'"

Ik wist niet wat ik hoorde en was niet onder de indruk, maar hij was nog niet uitgesproken.

"Hij zegt: 'Jimmy-boy, koper is terug, koper is terug!' De koperblazers in de bands, begrijp je, OD! De trombone, de trompet. Snap je waar ik heen wil?"

Mam en ik hadden alles over comebacks al eens eerder gehoord. Het enige verschil was dat hij deze keer nuchter was terwijl
hij erover praatte. Het maakte het niet echter.

"Ik ga het erop wagen, OD," zei hij, "ik koop een trompet."

"Waarvan?" sneerde ik. "Ik betaal jouw fantastische dromen
niet. Je hoeft het niet eens te vragen."

"Dat was ik niet van plan," antwoordde hij rustig. "Het komt
nu op mezelf aan, OD."

Ik stond op en spoelde mijn kopje om. Hij smeekte niet om wat
aanmoediging zoals vroeger. Hij keek alleen maar in de as. Toen ik
naar bed ging, leunde hij voorover, pakte de pook en schoof de as
door het haardrooster.

"Koper is terug," herhaalde hij steeds. "Koper is terug."

Nance

De brandweer was vertrokken toen Tom en May thuiskwamen. Ik was erin geslaagd alles schoon te maken en ons perfecte huis zag er nog steeds uit of het klaar was om door de een of andere fotograaf te worden vastgelegd voor zo'n duur tijdschrift over wonen. Ik vertelde ze van de schoorsteenbrand, maar niet hoe het was begonnen.

"Wat was je aan het doen, Nance?" was Toms eerste reactie. "Alles had in vlammen kunnen opgaan."

May was kalmer. Misschien rook ze iets, boven de scherpe roetgeur uit. Tom liep rond als een kip zonder kop. Om de een of andere reden irriteerde het me nu enorm dat hij mank liep, als gevolg van het een of andere ongeval, lang geleden.

"Heb jij niks, Nance?" vroeg May. "Het was niet Toms bedoeling..."

"Ik en mijn grote vuren," zei hij, in een poging zijn verlegenheid over zijn uitbarsting te verbergen. "Ik heb te veel kolen opgestapeld voordat we vertrokken."

Ik beefde. Ik moest gaan zitten, maar niet daar en niet bij hen.

"Het is de schok," zei May. "Ik zal een warmwaterkruik voor je vullen en..."

"Schok," mompelde ik. "Het is de schok, oké."

Ik liet ze daar staan met hun bezorgde gezichten en ging naar boven, naar mijn slaapkamer. Ik deed de deur op slot. Ik stapte in bed en deed het licht uit, omdat ik wist dat ik niet meer zou kunnen lezen, zoals ik gewoonlijk deed voor het slapengaan. Het donker was hetzelfde, of ik mijn ogen nu openhield of sloot. Maar hoe donker het ook was, ik kon de foto nog steeds zien. Ik kon niet bedenken wat ik verder moest doen.

Alles wat ik wist was dat ik de volgende dag niet naar school zou gaan. Zelfs terwijl ik dat dacht, zag ik in dat ik mijn hele toekomst op het spel zette, net als OD. Ik merkte dat ik hem de schuld gaf voor wat ik met mijn boeken en aantekeningen had gedaan. Ik zag geen weg terug voor mezelf en ik begon mezelf ervan te overtuigen dat het me niks kon schelen. Alle plannen die ik had gemaakt - naar de universiteit gaan, ingenieur worden, de wereld zien - verloren hun aantrekkingskracht voor me.

Ik wilde niet dat het ochtend werd, maar het gebeurde toch. Ik moest vroeg opstaan om te vermijden dat ik met Tom mee naar school moest rijden, zoals gewoonlijk.

May deed haar best de plooien glad te strijken tijdens onze spaarzame conversatie, maar de roetlucht in de keuken was een akelige herinnering. Hoewel ik nog niet bedacht had wat ik die dag zou doen, beefde ik tenminste niet meer. May goot het water uit de ketel naast de theepot, maar ze lachte het weg. Ik deed of ik niets merkte.

"Wacht je niet op een lift?" vroeg ze toen ik mijn blazer aantrok en mijn tas greep, waar twee oude telefoonboeken en een paar oude jaargangen van *Bunty* en *Judy* inzaten die ik ergens had opgegraven.

"Ik heb zin om te lopen," vertelde ik haar en verdween door de achterdeur, terwijl ik net deed of ik Tom niet hoorde roepen vanuit zijn slaapkamerraam.

Bij de Blackcastlebrug sloeg ik linksaf en liep het parkeerterrein over. Ik ging achter het zwembad door. Daarna liep ik langs de oever van de rivier. De tas was zwaarder dan gewoonlijk, dus kieperde ik de jaargangen ergens in de bosjes. Het gras langs de kant van de rivier was vochtig en dus ging ik op mijn boekentas zitten en keek naar de eenden die rondscharrelden in hun kleine waterwereld, met niets anders om zich zorgen over te maken dan de vraag waar het volgende hapje eten vandaan moest komen.

Ik bleef tegen mezelf zeggen dat ik niet op mijn horloge moest kijken en ik bleef erop kijken. Negen uur, kwart over, twintig over, tweeëntwintig minuten over. Het briesje aan de rivier deed me opnieuw huiveren en ik stond op en wandelde een beetje. Maar de wandeling langs de rivier eindigde abrupt in een oerwoud van brandnetels en ik ging terug. Toen ik bij mijn tas kwam, voelde ik me zo gefrustreerd dat ik mikte en hem het water in schopte. Hij ging sneller onder dan ik verwachtte en ik liet hem daar. Ik dacht alleen maar aan een plaats waar ik me een tijdje zou kunnen schuilhouden.

Waarom ik besloot aan te bellen bij OD's huis is me een raadsel. Ik wist dat hij er niet zou zijn en zelfs als hij er wel was geweest, was ik niet van plan om met hem te praten, vooral niet over mijn poging om mijn boeken te verbranden. En Jimmy, met wie ik altijd wel goed overweg kan, was nu niet direct de eerste persoon waar je aan dacht om je problemen mee te bespreken.

OD had het nooit rechtuit gezegd, maar ik wist dat hij het oude 'zo vader, zo zoon'-excuus gebruikte voor zijn eigen mislukkingen. Jimmy was een gemakkelijk doelwit en daar hield ik niet van. Misschien konden we daarom zo goed met elkaar opschieten.

Ik vermeed het plein waar May deeltijds in een winkel met gezonde voeding werkte en ging op weg naar het Valera park. OD's huis was het middelste in een rijtje van acht. Het viel op omdat de huizen ernaast pas waren geverfd en keurige voortuintjes hadden. Van de drie glazen ruiten in OD's voordeur was de bovenste gebroken, de tweede vervangen door triplex en alleen de onderste intact. Er was ook geen bel meer. De twee draden die eraan hoorden te zitten, waren opgedraaid en leken op een slangentong. Op het ongeverfde strookje waar de klopper hoorde te zitten, had OD in een klein, net handschrift de titel van een liedje

23

van Neil Young geschreven: 'Everybody knows this is Nowhere.'

Ik klopte op het intacte ruitje en hoorde Jimmy naar de hal schuifelen. Hij had problemen met de deur en, terwijl ik wenste dat ik niet was gekomen, wachtte ik tot ik zou worden opgezogen door de troosteloze vuilnishoop die dat huis was.

Als hij al verrast was om me te zien, dan merkte je daar niks van. De verrassing was geheel mijnerzijds. In een hand hield hij een vieze vod die een theedoek moest voorstellen, in de andere hield hij een nog viezere nagelborstel. De trapstijl achter hem was leeg, zonder de gebruikelijke stapel jassen. De vloer van de hal was schoongeveegd en ontdaan van al de opgedroogde modder van OD's voetbalschoenen en van al het andere vuil dat een bezem kan opvegen. Er was geen rommel meer van voetbaltassen en -schoenen en van bezwete kleren. En toen keek ik naar Jimmy's mond. Hij had tanden. Ik had hem nog nooit eerder met tanden gezien.

"Tja, Nance," zei hij, blozend toen de woorden er op een lispelend fluittoontje uitkwamen. "Hij is er niet, meid."

Ik vroeg hem of ik binnen mocht komen. Ik probeerde ongedwongen te klinken en niet naar zijn mond te kijken. Het was niet gemakkelijk, zeker niet toen hij zijn mondhoek depte met die vieze theedoek.

"Zeker," zei hij en voegde eraan toe: "Ik was net een beetje aan het opruimen," alsof hij me een verklaring schuldig was.

Toen we in de keuken kwamen, zag ik wat hij aan het doen was met de nagelborstel. Het oude gekraste formica tafelblad was schoon, waarschijnlijk voor de eerste keer sinds zijn vrouw was vertrokken. Hij had de kleverige stukken smurrie eraf geschrobd, en had tot nu toe ongeveer de helft afgewerkt. Op het vuile deel stond een pan met een bruin sopje en ernaast lag... een stuk zeep!

Ik had geen recht om iets te vragen. Hij was degene die vragen diende te stellen, over het feit dat ik daar was, maar dat was

Jimmy's stijl niet. Toch vroeg ik het.

"Wat gebeurt hier allemaal?"

Hij aarzelde een seconde of twee. Aan de manier waarop hij zijn valse tanden over elkaar heen schoof kon ik zien dat hij pijn had en heel erg zijn best deed om die te overwinnen. Hij maakte een stoel voor me leeg en ik ging zitten.

"Ik zal wat thee zetten," zei hij met een vertrokken glimlach. "Het is een lang verhaal."

Ik liet mezelf meeslepen door de opgaande golf van optimisme in zijn woorden. Ik was blij voor Jimmy. Voor de eerste keer in jaren, misschien wel voor de allereerste keer ooit, had hij een plan. Het kunstgebit was nog maar het begin.

"Zonder tanden kun je geen trompet spelen," legde hij uit. "Ik moet er opnieuw aan wennen. Tegen elke prijs."

Dan het huis. Hij ging er iets fatsoenlijks van maken, om in te wonen en om op bezoek te komen.

"Deze hele troep is nergens voor nodig," zei hij.

Zodra het hele huis in orde was, ging hij een trompet voor zichzelf versieren. Ik werd nu zo gegrepen door het hele gedoe dat ik mijn eigen problemen werkelijk vergat en ik besloot ter plekke dat ik hem zou helpen. Ik keek rond om te zien of er een goed schoonmaakmiddel en borstels waren, onder de gootsteen of ergens anders. Er was niets anders dan lege blikjes poetsmiddel, vodden en een geopend pakje samengeklonterd waspoeder.

"Heb je geld?" vroeg ik.

"Ja, ik ben goed bij kas, maar ik heb het nodig voor iets anders."

"Dit is tijdverspilling, Jimmy," zei ik, terwijl ik naar de nagelborstel en de zeep wees.

Hij dacht na.

"Hoeveel gaat al dat schoonmaakspul me kosten?"

"Er blijft weinig over van een vijfje."

Hij ging naar boven en kwam weer beneden, alweer glimlachend en sneller dan ik verwachtte. Ik merkte dat hij anders, beslister, bewoog en dat hij zijn lange, sliertige haar naar achteren en over zijn oren had gekamd, terwijl hij boven was. Dat was weer voor het eerst. Ik had hem nog nooit met gekamd haar gezien. Hij had een briefje van vijf pond in zijn hand.

"Weet je zeker dat je tijd hebt om dit samen met mij te doen?"

Ik wist dat hij me vroeg wat ik daar in 's hemelsnaam deed op een schooldag. Ik schreef een lijstje voor hem en keek niet op. Ik begon alvast terwijl hij weg was naar de winkel, en algauw merkte ik dat ik al mijn opgekropte gevoelens uitleefde op het vuil.

Toen Jimmy terugkwam gingen we er echt tegenaan. Om twaalf uur pauzeerden we voor thee. Jimmy zei dat de thee nog nooit zo goed gesmaakt had. Ik knikte instemmend, maar vond hem naar zeep smaken.

"Jimmy?" vroeg ik. "Was je de kopjes ook af met zeep?"

"Ja, ik heb de schoonste maag van heel Ierland!"

We lachten, maar als ik nu aan die woorden terugdenk voel ik me misselijk.

Rond kwart voor een hadden we de keuken, de kleine zitkamer aan de voorkant en de hal onherkenbaar veranderd. We hadden vijf grote, zwarte plastic zakken gevuld met rommel en het namaaklavendelluchtje van de luchtverfrisser begon het, eindelijk, te winnen van de geur van verval.

Ik was geradbraakt en Jimmy kon nog nauwelijks staan, zo'n pijn deden zijn knieën van zijn werk op de vloeren. Maar één blik op hem, terwijl hij ongelovig en bewonderend om zich heen keek, was genoeg om te weten dat het de moeite waard was geweest.

"Zonder jou, Nance," zei hij, "was ik nog steeds de tafel aan het schrobben."

Ondanks mijn vermoeidheid had ik zin in nog wat uurtjes arbeid waarbij je niet hoeft na te denken. Ik was klaar om de slaapkamers boven aan te pakken.

"In geen geval," hield hij vol. "Je hebt genoeg gedaan. Ik zal de rest zelf wel doen. Ik had alleen iemand nodig om me voor te doen hoe ik het aan moet pakken."

"Maar ik doe vandaag toch niks anders," pleitte ik.

Jimmy keek me recht aan en ik dacht dat hij de betovering van deze onverwacht goede ochtend ging verbreken.

"Waarom ga je niet naar ginder, om OD te zien," zei hij. "Hij zit vast in Super Snax."

Plotseling had ik hem bijna alles verteld, maar toen voegde hij er, sterk maar vriendelijk aandringend, aan toe: "Nance, wat je ook dwarszit, gooi het er vlug uit. Wacht er niet mee. In godsnaam, wacht er niet mee. Dit is wat er gebeurt als je ermee wacht."

Hij had het over hoe het huis eruitzag voordat we het hadden schoongemaakt, hij had het over zichzelf.

Ik ging naar Super Snax om OD te vinden en hem een laatste kans te geven.

OD

De maandagochtend na de match tegen St. Peter was ik kapot. De gedachte terug te gaan naar het stadspark en nog een dosis Snipe Doyle te krijgen, was afgrijselijk, zelfs zonder kater. En dan was er ook nog het probleem met mijn knie.

Het moet de derde of de vierde week geweest zijn dat ik de dag na een wedstrijd wakker werd met die martelende, stekende pijn. Tijdens de match voelde ik nooit iets, behalve dat de knie soms een beetje zwak leek als ik te scherp draaide, daarna verdween het gevoel. Ik wist dat ik steeds terughoudender was geworden met draaien, de voorbijgaande weken, en ik begon me af te vragen of Tom Mahoney iets merkte.

Ik vermoed dat het kraakbeenproblemen waren. Ik had er iets aan moeten doen, maar voetbal was toen te belangrijk voor me. Ik wist dat we de competitie konden winnen en ik moest erbij zijn. Zelfs toen, voordat de storm losbarstte, probeerde ik te bewijzen dat ik tenminste in één opzicht beter was dan Seanie Moran en dat de ploeg mij meer nodig had dan hem.

Seanie was lang voor een speler op de linkervleugel, en hij verbeeldde zich een kruising te zijn tussen Lee Sharpe en Matt Le Tissier. Listig, zo nonchalant dat hij bijna traag leek, maar die traagheid was een maniertje om zijn bewaker te misleiden. Het probleem voor mij, als midvoor, was om te raden wanneer hij zijn man zou passeren en de voorzet zou geven.

Buiten het veld was hij doodstil, maar niet op de ongedwongen manier die hij had als we speelden. Het leek of hij altijd liep na te denken en zich zorgen maakte, en alles voor zich hield. Ik kon de twee kanten van Seanie Moran nooit rijmen. Ik vertrouwde hem niet. Hij sprak met niemand, vooral niet met mij, en ik geloof dat hij zichzelf te goed voelde voor jongens zoals ik, te welgesteld om om te gaan met de zoon van een berooide mislukkeling.

Zijn vader, Mick Moran, was een projectontwikkelaar en verhuurde zware machinerie. We gebruikten zijn spullen in het park, cementmolens en dat soort dingen. De Morans hadden twee vakanties per jaar in de zon. Seanie was altijd bruin.

Hij had mijn hele schooltijd bij mij in de klas gezeten en er ging geen maand voorbij of de een of andere leraar zei: "Waarom kun je niet zijn zoals Seanie?" of "Als je maar half zo hard zou werken als Seanie zou je de beste van de klas zijn." Ik kon zulke praatjes missen als kiespijn. Voetbal was het enige waar ik nummer één in was, maar hij werd beter en ik wist dat ik achteruitging. Het ergste van alles was dat ik zo afhankelijk van hem was. De meeste van mijn goals kwamen van zijn voorzetten of van zijn dieptepassen. Na een doelpunt gaven we elkaar zelfs nooit een hand.

Iedere keer dat ik weer een steek in mijn knie kreeg, dacht ik aan Seanie, en die ochtend was hij nooit uit mijn gedachten. Toen ik de trap afging, moest ik mij vasthouden aan de leuning en in de hal hinkte ik langs de muur. Jimmy was niet in de keuken toen ik er binnenkwam, maar ik kon er niets aan doen dat het mij opviel dat de tafel was opgeknapt. Ik had tot nu toe nooit beseft dat het er zo lamlendig uitzag, maar ik stond er verder niet bij stil. Mijn maag stond niet naar eten, dus vertrok ik naar het park voordat hij opdook vanuit zijn schuilplaats.

De hele weg ernaartoe was een martelgang. Ik gebruikte de muren en hekken langs de weg als steun. Iedere honderd meter of zo moest ik stoppen voor een adempauze, gelukkig was er niemand in de buurt die me zag worstelen. Tegen de tijd dat ik het park bereikte, slaagde ik erin om op mijn eigen twee benen vooruit te komen, maar ik kon het lichte hinken niet verbergen zoals daarvoor. De laatste persoon op wie ik wilde lijken was Tom

Mahoney, maar daar was ik dus, met hetzelfde kenmerkende gehink.

Het stadspark was destijds ongeveer voor driekwart af. Het was een terrein van bijna een hectare, aan de rand van de stad. Van een woest gebied hadden we dit ervan weten te maken in vijf maanden tijd. Het voorste stuk was klaar om de schommels en de glijbanen te plaatsen voor de speeltuin. Aan de andere kant, ver van de weg, hadden we bomen geplant, om een gebied te omheinen waar je kunt zitten op de stenen bankjes die we hadden bedacht en gemetseld. In het midden van dat gebied hadden we een enorme rotspartij gemaakt rondom een fontein in de vorm van een spuitende vis midden in een plas water van een meter diep.

Links en rechts van de rotspartij lagen twee stroken gras waarin de bloemperken al waren omgespit. Rond de fontein en het gras legden we een grindpad aan om over te kuieren: voor oude mensen, moeders met kinderwagens, werklozen die niks beters te doen hebben. Soms vroeg ik mij af of ik hier ook zou eindigen, mijn dagen slijtend met daar te zitten of rondjes te lopen. Kijkend naar een stenen vis.

De eerste die ik die ochtend zag, was Beano. Hij keek bezorgd. Wat nauwelijks nieuws is. Toen ik door het hek binnenkwam, wees hij naar de cabine aan de rechterkant van het park, van waaruit Snipe ons in de gaten hield. Ik had moeten aanvoelen dat ik langs de achterkant van dat prefab gebouwtje had moeten lopen, maar ik had geen zin om als een bange slaaf rond te sluipen. Dus ik strompelde langs de open deur.

Snipe merkte me eerst niet op, omdat hij, meer dan waarschijnlijk, verdiept was in de uitslagen van de paardenrennen in de *Sun*, en ik dacht dat ik ontsnapt was. Want ik was een halfuur te laat. Voordat ik naast Beano stond, hoorde ik Snipe al janken: "Ryan!"

30

Ik negeerde hem en greep een schop. Hij stak zijn kleine, ronde gezicht uit het raampje van de cabine.

"Hier komen, profiteur. Nu!"

Beano nam de schop van me over en begon steentjes in een kruiwagen te scheppen.

"Ga, OD," fluisterde hij, "hij bijt harder dan hij blaft."

"Niet grappig, Beano."

"Alsjeblieft," zei hij. Ik wist dat hij bedoelde dat als Snipe zijn zelfbeheersing zou verliezen, hij dat niet alleen op mij zou uitwerken, maar ook op Beano.

Ik herinnerde mij hoe Beano me had gered van de afgang om 's nachts om één uur bij Nance voor de deur te staan. Voor hem hinkte ik naar de cabine. Toen ik binnenkwam schoof Snipe de krant onder een map met plannen voor het terrein.

"En?" vroeg ik, terwijl ik naar het bureau keek waar een puntje van de *Sun* tevoorschijn kwam. "Nog nieuwe ontwikkelingen in de politieke situatie?"

Hij keek me nijdig aan.

"Of de Michael Jackson-story? Is het waar dat hij in verwachting is?"

Ik denk zelfs dat hij die niet heeft begrepen.

"Je bent een halfuur te laat, alweer."

Mijn knie herinnerde me eraan dat hij pijn deed. Ik kon moeilijk staan, dus ging ik zitten, op het randje van zijn bureau.

"Ga met je achterste van mijn plannen af."

"Ik kan niet staan," zei ik. "Ik heb mijn been bezeerd, gisteren tijdens de match."

Hij trok zijn das van de rugbyclub recht, zijn toetssteen van achtenswaardigheid. Hij betastte hem of hij heilig was.

"Een voetballer!" zei hij. "Je zou nog geen vijf minuten overeind blijven in een échte wedstrijd. Ik hou het van je loon af, Ryan.

31

Maak nu dat je hier wegkomt en doe iets."

Hij had er al eerder mee gedreigd een deel van mijn loon in te houden, maar hij had het nog nooit echt gedaan. Ik maakte me geen zorgen. De steek onder water over het rugby ergerde me meer, wat alleen maar bewijst hoe verward het in mijn hoofd was omdat ik me van zoiets stoms iets aantrok. Toch was ik nog steeds in staat om kalm blijven. Ik stond op van het bureau en stoof naar buiten... terwijl ik alles inhield, heel beheerst, dacht ik.

Natuurlijk hadden ik en Beano daarna een zware ochtend. Ik vond het niet zo erg omdat ik in het middelpunt van de belangstelling stond vanwege mijn goal tegen St. Peter. Toen het lunchtijd was, had ik overal pijn van het tillen en sleuren en van het proberen mijn knie te ontzien.

Ik was niet in de juiste stemming voor een ontmoeting met Nance. Ik werd te veel in beslag genomen door mijn eigen miserie, om de hare te waarderen. Het ruzietje van gisteravond was niet meer dan dat, iets waar we al eerder overheen waren gekomen. Het kwam niet eens bij me op me af te vragen waarom Nance in Super Snax kwam. Meestal zagen we elkaar als ik ginds klaar was, en kwam zij van bij haar thuis of van de winkel waar May werkte.

Beano stond op toen ze binnenkwam. Dat deed hij altijd. Ik ben er nooit toe gekomen hem te vragen waar hij dat vandaan had. Waarschijnlijk uit een film met Jack Nicholson. Hij was verslaafd aan Nicholson en citeerde zo nu en dan zinnen uit zijn films, die hij meestal lichtelijk of helemaal verkeerd opvatte. Hij verontschuldigde zich, iets over ergens naartoe moeten, en ging. Ik wenste dat hij was gebleven. Ik zou niet zo vervelend tegen Nance gedaan hebben als hij erbij was geweest. Als iedere 'als' een pond was, dan was ik miljonair.

"Neem een frietje," zei ik zonder van mijn bord op te kijken en ik had medelijden met mezelf.

32

Ze zat tegenover me, maar zei geen woord. Toen ik naar haar opkeek, keek ze een andere kant uit. Op hetzelfde moment dat ik bedacht hoe mooi ze was, leek het of iemand een ijspriem in mijn knie stak. Ik moet hebben gekreund of zwaar gezucht of zoiets, want plotseling keek ze me aan met haar grote, bruine ogen. Een fractie van een seconde leek het of ze naar een vreemde keek.

"Is alles goed met je?" vroeg ze.

Ik vertelde haar van de knie en over mijn fantastische ochtend in het park. Ze reageerde niet zoals ik had gewild. Er was geen sympathie. Ze werd zelfs niet kwaad en zei niet dat ze het beu werd naar mijn geklaag te luisteren, al denk ik dat dat wel zo was.

"En hoe zit het met jou?" vroeg ik, terwijl ik probeerde mijn teleurstelling te verbergen.

"Met mij?"

"Ja, wat had jij voor een ochtend?"

Na een ogenblik vertelde ze me over haar ochtend als poetsvrouw voor Jimmy. Ik ontplofte. Ik dacht er niet aan haar te vragen waarom ze spijbelde, zo kwaad was ik.

"Je had het recht niet om daar rond te neuzen," zei ik tegen haar. "Hij heeft achttien jaar een dienstmeid gehad en hij heeft haar nooit bedankt."

Toen sloeg ze toe.

"Heb jij haar bedankt?"

Ik kon geen antwoord verzinnen en ik was bang dat ik het zou verliezen. Toen werd ze zachter.

"Wil jij niet dat Jimmy een nieuwe start maakt?"

"Jimmy's nieuwe starts zitten me tot hier."

"En jij zit mij tot hier, OD."

Ik gooide mijn vork op het bord. Hij raakte de tomatensaus en spatte rode druppeltjes op haar schoolbloes. Het leek haar niet te deren. Ze stond op en wierp een laatste blik op me, alsof ze verwachtte dat ik iets zou zeggen. Ik wilde me verontschuldigen, maar ik kon alleen maar aan Jimmy denken. Als hij kon zeggen dat hij opnieuw begon, waarom ik dan niet? Daar ging het toch allemaal om, dacht ik. Ik zei niets. Toen ze bij de deur was en hem open had geduwd, riep ze nog over haar schouder: "Jij denkt er ook nooit aan om naar het waarom te vragen, hè?"

Maar ik dacht nog steeds aan Jimmy, daarginds in het Valera park, niet aan Nance. Ze was al uit het zicht verdwenen toen ik naar de zwaaiende deur riep: "Omdat hij een stomme dromer is, daarom!"

Ik duwde het bord weg en zei tegen mezelf dat we het later wel weer zouden bijleggen, als we gekalmeerd waren. Wat zijn nou een paar harde woorden tussen vrienden, dacht ik nog. Als een dwaas.

Nance

Het zou een lange middag worden en het werd kouder. Ik had naar huis kunnen gaan en wachten. Ik had weer terug kunnen gaan naar Jimmy. In plaats daarvan ging ik terug naar de rivier. Ik had geen plan in mijn hoofd, alleen Jimmy's woorden weerklonken: 'Wacht er niet mee.'

Ik zwierf langs hetzelfde stuk waar ik eerder was geweest, tot ik het plekje plat gras vond, waar ik had gezeten.

Deze keer trok ik me niets aan van de vochtigheid. Als ik kou zou vatten door daar te zitten, dan zou ik iets anders hebben om me achter te verbergen.

Na enige tijd brak ik een lange tak van een boom die over het water hing en begon afwezig naar mijn tas te vissen. Het verbaasde me hoe vlug ik hem vond. Toen ik hem omhoogtrok met de stok, hield ik hem van me af zodat het water eruit kon lopen. Daarna maakte ik hem open en tilde de doorweekte telefoonboeken eruit.

Er was er een van een 05- en een van een 06-zone. Bij de 06-zone, wist ik, hoorden delen van Tipperary, Clare en Limerick. Heather Kelly uit Limerick. Mijn natuurlijke moeder. Ik bladerde zo voorzichtig als ik kon door de doorweekte bladzijden, maar ze scheurden toch. Uiteindelijk vond ik de Kelly's. Twee bladzijden vol. Ik telde ze in zone 061, voor Limerick. Tweehonderd zestien! Ik keilde het telefoonboek terug het water in.

'Wacht er niet mee,' hoorde ik Jimmy steeds weer zeggen. Het denkbeeld Heather Kelly te vinden begon me te boeien. Allerlei gekke ideeën spookten door mijn hoofd en verdwenen weer. Een privé-detective inhuren, een advertentie plaatsen in de *Limerick Leader*. Uiteindelijk kwam ik nergens uit, maar ik voelde me rustiger. Op de een of andere manier voelde ik dat de weg zichzelf zou wijzen, nu ik besloten had Heather te zoeken. Van één ding was ik zeker: Tom en May zouden niets weten van mijn zoektocht, niet als het aan mij lag. Ik haatte ze niet. Ik wist niet goed meer wat ik voor ze voelde.

Het was nu na vieren en vanwaar ik zat kon ik de massa uit school zien komen om naar huis te gaan. Tijd om de dingen onder ogen te zien.

Ze zaten allebei op me te wachten toen ik binnenkwam. May was rustig, maar keek me strak aan. Een belachelijk ogenblik dacht ik dat ze wist wat er scheelde. Ik verbeeldde me zelfs dat de blik waarmee ze me aankeek er een van begrip was, totdat duidelijk werd dat het juist volledig onbegrip was wat ik zag.

Ik was altijd de perfecte dochter van een perfect gezin geweest. We waren welgesteld. Een leuk vrijstaand huis in het beste deel van de stad; een goede auto, maar geen flitsende; zomervakanties in Spanje, Portugal en Frankrijk. Tom en May verspilden nooit tijd met dingen die niet nuttig waren. En ik deed zelf mee aan die perfectie. Ik was goed op school, in spelletjes en ik haalde me geen problemen op de hals, zelfs niet toen ik met OD was. Afgezien van de gewone botsingen die van tijd tot tijd in de meeste families voorkomen, waren er nooit echte conflicten tussen ons drieën geweest. Niet tot nu toe.

Tom hield zich niet in. Hij klonk of hij zich meer zorgen maakte over zijn eigen reputatie dan over iets anders.

"Het vervelendste van alles is," raasde hij, "je de hele dag lopen te verontschuldigen en er geen idee van te hebben waar je zit. Waar ben je verdomme mee bezig?"

Ik ging hem geen leugens vertellen. Leugens, andermans leugens, lagen aan de basis van al mijn problemen. Dus ik zei helemaal niets.

36

"Waarom?" vroeg May fluisterend.

Ik zei bijna: 'Waarom wat?' maar ik bleef zwijgen.

Tom verloor zijn geduld. Hij keek naar de plank waar ik meestal mijn schooltas neersmijt als ik binnenkom.

"Waar is je schooltas?"

"Weg," zei ik vlak.

"Weg?" zei May.

Ze zaten allebei op de keukentafel en ik stond voor ze. Het was als het bureau van de directeur op school, of wat ik me daarbij voorstelde, als je problemen had. Niet dat ik, perfect als ik was, die ooit had gehad.

"Wat heb je ermee gedaan?" wilde hij weten, maar zijn stem had niet de autoriteit die je zou verwachten in een directiekamer.

"Ik heb hem in de rivier gegooid."

"Ga zitten, Nance," zei May. "Zeg ons wat er scheelt."

Ik probeerde te weerstaan aan haar smekende ogen, maar ik kon het niet. Tom schudde ongelovig zijn hoofd. Het leek wel of hij zijn ogen niet kon opslaan.

"En je boeken? Allemaal? In de rivier?" vroeg hij aan de tafel.

"Nee."

Ze keken elkaar aan en May begreep de vraag die hij niet durfde te stellen.

"Ik heb ze gisteravond allemaal verbrand," vertelde ik haar. "Zo begon de schoorsteenbrand. Het spijt me van de brand."

"Wat is dit allemaal?" vroeg Tom. "Het heeft iets te maken met OD, niet?"

May pakte zijn hand, in een poging de richting van zijn aanval te veranderen. Hij trok zich van haar los en ging door.

"Ik heb je voor hem gewaarschuwd, Nance," zei hij. "Hij deugt niet, nu niet, vroeger niet en later niet..."

Ik liet hem uitrazen, want niets van wat hij zei beangstigde me meer dan wat ik nu zag: dat hij zich van May verwijderde. Ik vroeg me af of mijn zoektocht naar de waarheid ze nog verder uit elkaar zou drijven, en de verleiding om ze te vertellen dat ik de foto had gevonden, nam toe. Als hij niet was doorgegaan over OD, had ik misschien toegegeven.

"Je had ruzie met hem, neem ik aan," zei hij, "en dat is het einde van de wereld. In godsnaam, Nance, ik dacht dat je verstandiger was."

Toen stond ik versteld van mezelf. Ik zei iets wat ik niet van plan was. Zodra ik het deed wist ik dat het waar was. "Ik ga niet meer met OD," vertelde ik Tom. "Het heeft niets met hem te maken."

"Sinds wanneer?" vroeg hij wantrouwig.

"Ik heb mijn boeken niet vanwege OD verbrand," zei ik, "ik werd krankzinnig en ik kan niet uitleggen waarom... ik weet niet waarom."

May kwam naar mijn kant van de tafel. Haar arm lag over mijn schouder. Ik spande me enorm in om hem niet weg te duwen, zoals Tom had gedaan.

"Zijn het de examens?" vroeg ze. "Denk niet dat we je beoordelen naar je cijfers. We willen gewoon dat je gelukkig bent."

Ik gaf geen antwoord. Ik speelde nu vooral op sympathie, de beste kans om uit deze narigheid te ontsnappen. Tom dacht hard na. Ik veronderstel dat het zijn manier was om met de dingen om te gaan: nadenken over de praktische kanten van de vraag hoe me weer terug in het gareel te krijgen, het schoolgareel.

"Ik zal alles over de boeken wel uitzoeken," zei hij. "Heb je je kopieën en aantekeningen ook verbrand?"

Ik knikte.

"We verzinnen wel iets," zei hij tegen May. "Ik zal tegen ze zeggen dat ik aan het opruimen was, na de schoorsteenbrand of zo en dat ik Nances spullen per ongeluk heb wegge..."

"Ik ga niet terug," zei ik.

"Over een paar dagen," zei May hoopvol. "Je hebt het nodig om even te stoppen met studeren."

Ik bevrijdde mezelf uit haar omarming en ging naar de deur. Toen ik naar ze omkeek, zag ik ze als op een foto: ik zag haast de messcherpe vouw, als een bliksemflits, tussen hen in. Over een paar dagen ga ik misschien terug, dacht ik. Als ik Heather Kelly vind. Maar niet eerder.

En, dacht ik, dit is niet mijn schuld. Jullie hebben dit zelf gedaan, allebei. Ik ben jullie kleine, zwarte baby'tje niet meer. Ik ben de dochter van Heather Kelly en van een man wiens naam ik niet ken. Ik behoor tot een ander ras, of tot een schemergebied tussen twee rassen in.

Op mijn kamer vond ik een balpen en een oude blocnote. Het kleine knuffelbeertje met het gloeiende hart bovenaan het papier leek naar me te lachen omdat ik in onschuldige liefde geloofde. "Beste OD," begon ik, terwijl ik me afvroeg of de drie blaadjes die nog in de blocnote zaten wel genoeg ruimte boden om alles op te schrijven wat ik voelde. Een vierde van een velletje was genoeg. Als je de echte redenen en de schuldvraag en de pijn van in de steek gelaten te worden, eruit laat, valt er niet veel te zeggen in een afscheidsbrief.

Ik vond een jas en ging naar Beano's huis in het Valera park, een eindje bij OD vandaan. Ik vroeg Beano de brief aan OD te geven. Hij lachte zijn maffe lachje, maar hij wist beter dan de meesten van ons wat er in de echte wereld te koop is. Ik wist zeker dat hij niet twijfelde aan wat er in de brief stond.

"Het park is over een maand klaar," zei hij. "OD blijft niet rondhangen om op het volgende project te wachten. Ik wed dat hij terug naar school gaat."

39

"Dat denk ik niet, Beano."

"Maar het zou kunnen, als..."

Als ik er nog was om hem te overtuigen, bedoelde hij. Hij had de brief nog steeds niet in zijn zak gestopt. Hij hield hem naar voren gestoken zodat ik hem terug had kunnen nemen, als ik dat gewild had.

"Geef maar aan hem zo snel je kunt," zei ik en draaide me om om weg te gaan.

"Oké," zei hij, "ik zie hem om halfzeven..."

Ik liep verder.

"In de snookerhal," riep Beano me achterna.

En ik liep verder.

OD

Beano en ik verlieten het terrein als laatsten die avond. We hadden de taak gekregen alle schoppen en kruiwagens en andere dingen weg te bergen en af te sluiten, omdat Snipe vroeg vertrokken was naar de bookmakers. We waren de hoofdpoort aan het sluiten toen Mick Moran kwam aanrijden in zijn nieuwe, zilverkleurige Range Rover. Seanie zat op de passagiersplaats.

Mick Moran was een grote, vierkante kerel met dik, zandkleurig haar, dat erg kort geknipt was, tot tegen zijn schedel. Op de koudste dagen droeg hij een overhemd met opgerolde mouwen en knoopjes die openstonden tot halverwege zijn harige borst. Hij had het zo druk met geld verdienen dat hij niet op het weer lette. Het raampje van de Range Rover gleed omlaag.

"Moeilijk, mannen?" zei hij. "Is meneer Doyle er ook?"

"Nee," mopperde ik, terwijl ik moeite deed om het hek voor Beano dicht te houden zodat hij het slot eraan kon hangen. Beano's hand beefde te veel om de sleutel erin te steken. Mensen als Moran maakten hem nerveus. Wat slecht nieuws is voor Beano, want de wereld is vol Mick Morans.

"Hij is... hij is bij de gemeentesecretaris... op het gemeentehuis," zei hij met de zekerheid van een slechte leugenaar.

Ik kon mijn lachen niet inhouden en Moran keek me aan met een van zijn harde mannenblikken. Hij kwam uit zijn Range Rover en liep naar Beano.

"Je vindt het toch niet erg om de cabine voor me open te doen, of wel, jongeman?" vroeg hij vriendelijk. "Ik moet er iets controleren."

"We zijn aan het afsluiten," vertelde ik hem. "U kunt meneer Doyle op het gemeentehuis spreken."

Moran bekeek me van onder tot boven alsof ik een lastige boomstronk was op het pad van een van zijn graafmachines.

"Ik heb haast," zei hij en schoof de grendel van de poort terug. "Ik zal jullie niet lang ophouden."

Beano volgde hem het terrein op en ik bleef daar staan staren naar Seanie, die verdiept was in een van zijn schoolboeken. Ik weet zeker dat hij mijn ogen op zich heeft voelen branden, want hij was lange tijd verdiept in dezelfde bladzijde. Toen keek hij naar me op.

"Hoe gaat het ermee?" vroeg hij.

"Kon slechter."

"Hoe is het met je knie?"

Ik voelde een steek en kreeg een raar gevoel in mijn maag. Ik bewoog me in de richting van de Range Rover.

"Er is niks mis met mijn knie," zei ik.

"Ik dacht alleen... de manier waarop je gisteren draaide... het was niet..."

"Mijn knie is perfect, Moran. En ga er niet over lullen tegen Mahoney."

Wat niet erg verstandig was. Als mijn knie echt in orde was, deed het er niet veel toe wat hij tegen Mahoney zei. Bovendien had ik hem nog nooit met Mahoney zien praten, behalve dan om een vraag te beantwoorden.

Mick Moran en Beano waren op de terugweg. Ik voelde me zo stom dat ik een verklaring wilde geven.

"Je weet hoe het zit met mij en Mahoney," zei ik, "hij wacht gewoon zijn kans af om me eruit te gooien."

"Vanwege Nance?"

Ik hield niet van de klank van Nances naam op Seanies lippen. "Luister, Seanie," zei ik, "hou je neus waar hij hoort, in je boeken."

Ik voelde Mick Morans hand op mijn rug en ik liet mijn schouder zakken om hem af te schudden. Hij keek van mij naar Seanie.

"Maakt hij het je lastig, Seanie?" vroeg hij en deed Clint Eastwood na door zijn kaken over elkaar te schuiven.

"Nee."

"Want als hij dat doet verkoop ik hem een oplawaai."

Seanie keek niet erg gelukkig. Hij begon te antwoorden, maar veranderde van gedachten en draaide zich om. Mick Moran kwam op me af.

"Heb je een probleem, knul?" vroeg hij dringend.

"Ik zou het geen probleem noemen," zei ik. "Ik mag je gewoon niet, Moran."

Hij stootte zijn vuist naar voren in mijn richting, maar ik deinsde niet terug. Hij hield mijn schouder in een greep die er vriendelijk uitzag, maar aanvoelde als een bankschroef.

"Knul," zei hij, "het gevoel is wederzijds."

Hij liet los en klom zwaar achter het stuur. Beano had het slot laten vallen en was op zijn knieën naar de sleutelbos aan het zoeken. Moran schoot weg in de Range Rover.

"Hij vermoordt me," kermde Beano, maar ik luisterde niet. Mijn ogen keken strak in die van Moran, die me woest aankeken vanuit de zijspiegel. Ik stak mijn middelvinger naar hem op en de remmen krijsten. Ik kon zien hoe Seanie zich omdraaide naar zijn ouweheer en na een paar seconden reden ze weer verder. Morans hand kwam in zicht. Hij stuurde mijn boodschap terug.

Toen ik mij omdraaide was Beano weer aan het hek aan het morrelen. Ik pakte de sleutels van hem af en Beano lachte op zijn gekwetste, verdedigende manier.

"Binnenkort word je nog in elkaar geslagen, OD!"

"Niet voor ik een ander in elkaar heb geslagen," zei ik. "Wat moest hij daarbinnen?"

"Naar de plannen kijken, of zo. Ik weet het niet."

Op weg naar huis moest ik steeds aan Nance denken. Vanaf het moment dat Seanie haar naam had genoemd, wist ik dat ik naar haar toe moest om te praten, zeggen dat het me speet dat ik me zo had opgewonden. Ik was van plan om me snel om te kleden en direct naar haar huis te gaan. Er kwam niks van terecht.

Zodra ik de voordeur had opengedaan, werd ik getroffen door de geur van luchtverfrisser. Toen zag ik de hal, de tegels glommen, er lagen geen rondslingerende spullen. De keuken was ook vlekkeloos en onder het haardrooster puilde het niet uit van de as. In plaats daarvan waren er een paar briketten keurig in piramidevorm opgestapeld. Onderaan de piramide lag, als een bloemenkrans, een hoop verfrommelde stroken toiletpapier. Allemaal bevlekt met bloed.

Ik hoorde Jimmy's voetstappen heen en weer gaan, in zijn slaapkamer er direct boven. Ik ging langzaam de trap op, bang voor wat ik zou vinden. Het kon geen snee van het scheren zijn geweest. Daarvoor waren er te veel van die bebloede papiertjes.

De deur van zijn slaapkamer stond open. Hij stond op een stoel naast de kleerkast. In zijn hand de breedgerande sombrero uit zijn showbanddagen. Ik zag geen bloed.

Hij had me niet horen binnenkomen en hij wankelde op de stoel toen hij me zag. Ik stormde naar binnen en hield hem overeind. De sombrero gleed opzij in zijn hand en ik zag er een verkreukeld briefje van tien inzitten, al liet ik het niet merken.

"Wat ben je aan het doen?" schreeuwde ik. "Je breekt je nek nog op die stoel."

Hij legde de sombrero voorzichtig bovenop de kleerkast en ik hielp hem naar beneden. Ik had er een hekel aan om hem aan te raken. Ik kon zijn zweet voelen door zijn overhemd.

"Een klusje," zei hij, "wat denk je?"

Hoe lang gaat deze comeback duren, dacht ik. Tot de volgende fuif? Tot de nieuwste fantastische droom je oren komt pijnigen?

"Waarom heb je Nance dit allemaal laten doen?" riep ik uit.

"Denk je dat alle vrouwen dienstmeiden zijn?"

Hij duwde zijn lange haar achter zijn oren. Een gewoonte die me vreselijk irriteerde; het was iets dat een jonge vent deed, niet een aftandse, afgeleefde kerel van middelbare leeftijd.

"Ik heb haar niet gevraagd het te doen," zei hij en nam een stukje toiletpapier uit zijn zak om zijn mond af te vegen.

Ik zag de roze vlekken op het papiertje voordat ik de tanden in de gaten kreeg.

"Ik geef dat oude gebit nog een kans," zei hij. "Dan kan ik weer trompet spelen, weet je."

Het was niet echt mijn bedoeling hem uit te lachen. Het kwam door een mengeling van opluchting en medelijden. Opluchting dat de bebloede velletjes papier waren opgehelderd, medelijden met de pijn in zijn rauwe tandvlees. Natuurlijk kwam het niet zo over. Hij draaide zich van me af en ging verder met het vullen van een zwarte plastic zak met oude schoenen en lege sigarettendoosjes, en de oude *Spotlight*-tijdschriften met de foto's van hem als jonge man. Ik vroeg hem bijna om ze niet weg te gooien, maar ik voelde me zo ellendig omdat ik me tegenover hem had laten gaan, dat ik me terugtrok in de keuken.

Ik ging tv zitten kijken, maar zette het geluid niet aan. Er was een muziekvideo op. Een vrouw liep in slowmotion weg van de camera door een veld met hoog gras. Ik vroeg me af waar mam nu was. In Londen, had Jimmy me verteld, de dag nadat ze was vertrokken, maar we hadden geen adres. Ze had niet geschreven. Toen ik vroeg of ze een briefje had achtergelaten, wist ik door zijn niet erg overtuigende manier van ontkennen, dat het zo was. Niet dat het er iets toe deed. Ik had het toch niet kunnen opbrengen om het te lezen.

45

Om de zoveel tijd begon het televisiebeeld te rollen, zoals het dat al maanden deed. Ik was er nooit toe gekomen het te repareren, hoewel ik goed was in zulke dingen: elektriciteit, apparaten. Ik had gewoon geen zin om me ermee bezig te houden, om ook maar iets in dat huis te repareren. Het leek me dat alles daar kapot moest blijven.

Na een paar minuten kwam Jimmy de keuken in met de grote plastic zak en werkte hem door de achterdeur naar buiten. Buiten zette hij hem naast vijf of zes andere. Toen hij weer binnen was zette hij de ketel op en wachtte tot het water kookte.

"Heb je iets van mijn spullen weggegooid?" vroeg ik, hunkerend naar ruzie.

"Het staat allemaal in een zak onder de trap," zei hij. "Je mag het zelf uitzoeken."

"Heb je ook in mijn kamer lopen rotzooien?"

"Nee."

Het Angelus was op de tv met het beeld van een Navajo-moeder met een kind. Ik had afgesproken om Beano om halfzeven in de snookerhal te zien, in de veronderstelling dat ik tegen die tijd alles opgehelderd zou hebben met Nance. Dat zou wel langer dan een halfuur duren, dus besloot ik haar op te zoeken na mijn partijtje snooker.

Jimmy haalde de enige goede kop en schotel tevoorschijn voor de thee. Die smaakte een beetje beter dan gewoonlijk en had voor de verandering eens de juiste kleur. Hij at niets en het tikken van zijn kunstgebit tegen de rand van het kopje was het enige geluid in de keuken, op het zachte gebrom van de tv na.

De kalmte die van hem uitstraalde verbaasde me. Ik wist dat hij vreselijke pijn moest lijden, maar het leek wel of hij in dromenland vertoefde, een soort Graceland* van de ziel, waar pijn er niet toe deed. Hij was ver weg, maar niet zo ver als ik veronderstelde.

Zomaar vanuit het niets zei hij: "Waarom was Nance niet op school vandaag? Heeft ze het tegen jou gezegd?"

Te verward om te zeggen dat ik er zelfs niet aan had gedacht om het haar te vragen, schudde ik mijn hoofd. Het was niet zo leuk om geconfronteerd te worden met mijn eigen ongehoorde stommiteiten. Om erop gewezen te worden door een eersteklas zwerver als Jimmy was nog erger.

Ik zette mijn kopje iets te hard op het schoteltje en er viel een splintertje van de onderkant. Sorry, zei ik tegen mezelf. Sorry, Nance. Op hetzelfde moment gaf ik mezelf antwoord. Te laat, OD, veel te laat om 'sorry' te zeggen.

Nance

Het leek me niet toevallig dat Seanie Moran die avond bij ons thuis kwam om te 'blokken' met Tom.

Toen ik de bel hoorde, wist ik zeker dat het OD was en ik dacht dat het beter zou zijn om naar de voordeur te gaan voordat hij en Tom oog in oog zouden staan. OD zou hem er zeker de schuld van geven dat het uit was tussen ons.

De ijzige blik die ik klaar had voor OD maakte Seanie zenuwachtig toen hij in de deuropening stond. Hij schoof zijn boeken van de ene hand in de andere.

"Is je vader er?" vroeg hij. "Ik ga economische geschiedenis doen als extra onderwerp. Tom... Meneer Mahoney zou me helpen."

Ik verroerde me niet. Ik was met mijn gedachten bij die jonge Keniaan op de foto en vroeg me af hoe hij eruit zou zien nu ik hem in gedachten had gered van dat auto-ongeluk. Seanie voelde zich ongemakkelijk. Hij bleef langs me heen kijken, in de hoop dat Tom zou verschijnen.

"Hij zei halfzeven. Misschien is hij het vergeten."

"Nee, hij is er," zei ik eindelijk. "Ik zal hem halen. Kom binnen."

Ik bracht hem naar de studeerkamer en ging Tom halen. Hij zat in bad.

"Vijf minuten," riep hij, boven het geluid van de radio uit, die hij altijd mee naar binnen nam.

Weer beneden ging ik naar de deur van de studeerkamer en vertelde het Seanie.

"Is alles goed met je?" vroeg hij. "Ik bedoel... je was vandaag niet op school. Ik dacht dat je misschien ziek was of zo."

Dat hij had gemerkt dat ik er niet was, was op zich al verbazingwekkend, maar dat hij brak met zijn stilteregel tegenover iedereen van de klas, was dat nog meer. De meeste jongens in ons jaar mochten Seanie niet, maar er waren een paar meisjes die niet al te geheime verlangens naar hem koesterden. Net als OD was ik geneigd om te geloven dat hij een beetje een snob was en ook een beetje getikt misschien.

"Alles is goed met me," zei ik, terwijl ik de deurklink nog steeds vasthield.

"Je hebt niet veel gemist," zei hij. Toen, en hij pijnigde zijn hersenen om iets anders te zeggen, voegde hij eraan toe: "Je komt morgen terug, neem ik aan."

Eventjes vroeg ik mij af of het mogelijk was dat al bekend was dat ik het had uitgemaakt met OD en dat Seanie een onhandig toneelstukje voor me opvoerde. Toen werd ik wantrouwig. Het leek me vreemd dat Tom er de laatste dagen niets over had gezegd dat hij Seanie een handje zou helpen. Bovendien gaf Tom nooit bijlessen. Hij had het altijd te druk.

Ik zat dicht bij Seanie, niet te dicht, maar dicht genoeg om het leerboek dat hij in zijn hand had goed te kunnen zien. Het kwam me niet bekend voor. Misschien deed hij echt economische geschiedenis. Maar waarom? Hij was er de jongen niet naar om punten te verzamelen en economische geschiedenis had niets te maken met medicijnen. En dat was zijn streefdoel, zoals we allemaal wisten. Hij deed veel bij het Rode Kruis en was al instructeur bij de Eerste-Hulpcursussen.

"Waarom zou een dokter iets willen weten over economische geschiedenis?" vroeg ik nonchalant.

Ik dacht toen dat hij zou dichtklappen, want hij zag er opeens zo ongelukkig uit. Toen hij sprak klonk zijn stem vreselijk mat.

"Ik ben van gedachten veranderd, wat betreft medicijnen,"

schokschouderde hij, "ik ga boekhouden proberen."

"Dat is nogal drastisch," zei ik, "van medicijnen naar boek-houding?"

"Mijn vaders zaken breiden uit," legde hij uit. "Hij krijgt het steeds drukker en hij rekent erop dat ik accountant word, om me ermee bezig te houden."

"Dus het is zijn idee?"

"Nee," hield Seanie vol. "Hij heeft de hele zaak trouwens voor mij opgebouwd. Dan kan ik hem toch niet zomaar laten stikken, of wel?"

Het klonk meer als een smeekbede dan als een vraag. Hij leek me meer te willen vertellen, maar ik vond dat ik mijn neus er al diep genoeg in had gestoken. Ik veranderde van onderwerp.

"En ik dacht nog wel dat je hier was om me over te halen om terug naar school te gaan," zei ik.

Toen draaide hij de rollen om.

"Je was vandaag helemaal niet ziek, hè Nance?"

"Nee," zei ik.

"Als ik iets voor je kan doen..." begon hij onzeker, "dan zou ik je graag helpen."

"Ik heb geen hulp nodig."

"Wat ik bedoel is, als het je zou helpen om erover te praten, zou ik graag luisteren," zei hij. "Ik zeg niet dat ik iets voor je kan oplossen, maar..."

We hoorden Tom van de trap komen. Ik stond op en Seanie keek triest naar zijn economische-geschiedenisboek en had er spijt van dat hij iets gezegd had.

Bij de deur botste ik bijna tegen Tom aan. Ik liep om hem heen alsof hij de pest had en de lach op zijn gezicht bestierf. Hij sloot de deur van de studeerkamer met een knal en ik ging naar mijn slaapkamer.

Ik dacht aan Seanie en aan hoe hij zich zo onverwacht bloot had gegeven; hoe hij, zo anders dan OD, had aangevoeld dat ik bepaalde problemen had. Ik dacht aan de redenen waarom ik hem niet mocht en ik besefte dat ze allemaal tweedehands waren, afkomstig van OD. Hoeveel meer van wat ik dacht, vroeg ik mij af, kwam van OD? Zelfs het idee om van school af te gaan, was van hem afgekeken, ook al kon ik op dit moment niets anders verzinnen. Nu ik gebroken had met OD moest ik voor mezelf leren denken. Dat kon niet slecht zijn. Door die gedachte voelde ik me beter.

In de zitkamer beneden vond ik May, die aan de lange, ovale tafel bezig was met een van haar waterverfschilderijtjes. De geur van de verf herinnerde me aan betere dagen, toen er nog geen grote complicaties in mijn leven waren en ik verbaasd kon staan over haar talent om een boom of een lucht zo mooi te krijgen. Nu deed ik niet eens moeite om naar haar schilderij te kijken. Ik zette de tv aan om naar *Home and Away* te kijken. Ik wist dat ze het niet goedkeurde en wilde dat ze dat, voor één keer, zou zeggen. Tom deed daar nooit zo lang over.

Toen ze zorgvuldig verder penseelde wierp ik zijdelingse blikken naar haar. Met haar gitzwarte haar en haar olijfkleurige huid zag ze er meer Italiaans of Spaans uit dan Iers. Ik besefte wat een vreemd driespan we eigenlijk vormden, terwijl we ons voordeden als het ideale gezin. Tom, de perfecte karikatuur van de roodharige Ier met bruine ogen; zijn mediterrane vrouw en zijn dochter, nog donkerder.

Ik vroeg me af wat de mensen van ons dachten. Maakten ze grappen of wisselden ze sarcastische commentaren uit? Omdat ik me nog nooit eerder druk had gemaakt over wat mensen van me dachten, waren deze vragen, gewoon al het feit dat ze bij me opkwamen, een vreselijke schok. Ik voelde mij alsof mijn hele

51

wereld zich vernauwde en ik steeds meer geïsoleerd raakte, een vreemde in een vreemd gezin.

Ik besefte ook dat mijn isolement was begonnen lang voor dat ik de foto had gevonden. Eigenlijk was het begonnen rond de tijd dat het aan raakte tussen OD en mij. Tot die tijd had ik twee echt goede vriendinnen gehad: Siobhán Dudley en Kelly Esmonde. Van de twee was ik het best bevriend geweest met Siobhán, die een jaar ouder was dan ik en die nu op de universiteit van Edinburgh zat. Dat zou niet zo erg geweest zijn als haar ouders ook niet naar Schotland waren verhuisd, toen haar vader er een nieuwe baan kreeg.

Kelly Esmonde was een klasgenootje. Van bij het begin had ze me voor OD gewaarschuwd en OD moet dat hebben geweten, want hij heeft flink zijn best gedaan om mij tegen haar op te zetten. Ik liet de vriendschap verwateren. Ik neem aan dat ik vond dat OD genoeg was. Het was niet zo. Nu had ik niemand meer en als ik zou proberen om Kelly weer op te zoeken zou dat zoiets zijn als mijn nederlaag erkennen. De waarheid was dat, sinds ik OD had leren kennen, May het dichtst in de buurt kwam van wat een vriendin was. En dat maakte het alleen maar moeilijker om deze zware teleurstelling te aanvaarden. Net toen ik tegen mezelf zei dat dit mijn kans was om te praten, kwam het bij me op dat het voor haar ook een kans was en dat ze het niet eens probeerde. Dus waarom zou ik beginnen?

Buiten, in de hal, bracht Tom Seanie naar de deur. Hun zachte stemmen maakten me paranoïde. Toen hij de kamer binnenkwam zette ik het geluid harder met de afstandsbediening.

"Waar was dat allemaal voor nodig?" vroeg hij.

"Wat allemaal?" zei May, terwijl ze opkeek van haar werk.

Hij liep om mijn stoel heen en ging tussen mij en *Home and Away* staan.

"Nance," vroeg hij dringend, "waarom deed je zo tegen me? Voor de ogen van de jonge Moran!"

"Ik deed niets."

"Je liep om me heen alsof ik kinderen mishandel."

May legde haar penseel neer en kwam erbij om de afstandsbediening van mijn stoel te nemen. Ze zette de tv uit en ging op de stoel naast de mijne zitten.

"We moeten praten, Nance," zei ze. "Zeg ons wat je bezighoudt... alsjeblieft."

Ik keek naar Tom en ik kon zien dat hij bijna instortte. Ik had zin om hem nog dieper te duwen.

"Waarom liet je Seanie Moran hier vanavond komen?"

Hij keek verward naar May. Zij wist het ook niet meer. Of anders speelden ze het goed.

"Hij moest me ertoe aanzetten terug naar school te gaan, of niet soms?" zei ik, hoewel ik dat allang niet meer geloofde. Het was gewoon om hem op de kast te jagen.

Hij liet zich achterover zakken in een stoel en keek me aan alsof hij me niet goed kon zien.

"Wat voor vader denk je dat ik ben?" zei hij. "Is dat wat ik krijg voor..."

Ik stond snel op.

"Voor wat?" riep ik uit. "Voor het redden van een zwarte baby uit het oerwoud?"

May probeerde me aan te raken, maar ik liet het niet toe.

"Ik ben geen baby meer," vertelde ik ze allebei. Iets over mij altijd in het duister laten tasten, ontsnapte me bijna, maar ik beet op mijn tong.

"Is het iemand van de staf?" vroeg Tom wanhopig. "Of een van de andere kinderen?"

"Ik ben geen kind."

53

"We kunnen niet verstandig praten," zei May, "als je ons de waarheid niet vertelt."

"Precies!" zei ik.

Ik weet niet of je zulke dingen echt kunt voelen, of dat je je zoiets alleen maar inbeeldt, maar ik weet zeker dat ik de moed in hun schoenen voelde zinken. De hele kamer leek te zinken. Ik stormde naar de deur, omdat ik wist dat ik moest ontsnappen, voordat we allemaal samen ten onder zouden gaan.

OD

Het was kwart voor zeven. Beano was laat en ik was alvast begonnen aan een partijtje pool* met Pat Doran. We noemden hem 'Schreeuwlelijk', omdat hij zo rustig was. Hij was de enige die ik kende die zich verontschuldigde voordat hij een fout maakte.

Ik was aan de beurt. De rode ballen vielen er snel in en de ligging voor de zwarte was steeds gunstig. Ik zette de zwarte weer in positie, klaar om naar de gekleurde te rollen. Ik concentreerde me enorm, zowel om mijn problemen te vergeten als om goed te stoten en boog me diep over de keu. Net toen ik de keu naar achteren trok, vloog de deur open.

"Honey, I'm back!" gilde Beano, met een maffe blik.

Dat moest Jack Nicholson voorstellen in *The Shining*. De punt van mijn keu verdween in het groene laken en rimpelde het. Ik gooide de keu neer en ging op hem af. Hij wipte rond, naar de andere kant van de tafel, en we sprongen er een tijdje omheen als twee cartoonfiguurtjes. Ik had hem bijna toen hij de brief tevoorschijn haalde en hem naar me toe stak.

"Nance vroeg me om je dit te geven," zei hij.

Mijn maag draaide om.

Schreeuwlelijk wachtte rustig tot we verder zouden spelen, maar ik was niet meer geïnteresseerd. Hij deed alsof hij druk bezig was met het krijten van zijn keu. Ik ging aan de andere kant in de hoek zitten en pepte mezelf op om de envelop te openen.

"Maak die partij voor me af, Beano," zei ik.

"Oké! Aan wie is het? Aan mij? Oké."

"Met de zwarte," fluisterde Schreeuwlelijk.

Het papier was belachelijk kinderachtig, maar het handschrift was sterk en de inhoud verre van onschuldig.

Beste OD,

we horen niet bij elkaar. Ik weet niet zeker of dat ooit wel zo geweest is. We moeten allebei met onszelf in het reine zien te komen, en omdat we elkaar daar niet bij kunnen helpen, heeft het geen zin om verder te gaan.

Probeer niet om me van gedachten te doen veranderen, het zou de dingen alleen maar erger maken.

Nance.

Ik bleef hem lezen en herlezen alsof er, als bij een wonder, een paar regeltjes meer zouden verschijnen om te verklaren waarom ze nu tot deze conclusie was gekomen. We wisten allebei wat ik moest oplossen, maar wat was haar probleem? Het wegblijven van school had er iets mee te maken en, nu ik erover nadacht, was ze de laatste weken in een vreemde stemming geweest. Raakte ze in paniek vanwege de examens en dacht ze misschien dat ze het zich niet kon veroorloven om nog meer tijd met me te verspillen? Of had Tom haar eindelijk zover gekregen en had hij haar ervan overtuigd dat ik niet goed genoeg was voor haar?

Ik vestigde mijn woede op Tom. Ik stelde me voor dat ik hem tegenkwam en met mijn vuisten duidelijk maakte wat ik van hem dacht. Ik zou uit het jeugdelftal gaan en dan zou hij vlug inzien dat hij niet zonder me kon. Wat hem alleen maar in de kaart zou spelen. Ik liet dat idee rusten.

De laatste regel leek me iedere hoop te ontnemen om haar te bereiken. Dat en mijn stomme trots. Ik zou niet terugkruipen, naar niemand. Dat dacht ik toch.

Beano had de partij afgemaakt en was erin geslaagd zich te laten verslaan, hoewel ik flink had voorgelegen toen ik het spel aan hem overliet. Hij kwam naar me toe en ging languit liggen op de lange bank waar ik in de hoek zat weggedoken.

"Die tafel is scheef," verklaarde hij. "En de banden geven niet mee."

Ik propte de brief tot een bal en schoof hem in mijn zak. Ik stond op van de bank, mijn knie was stijf van het zitten.

"We gaan er eentje drinken," zei ik.

"Het is nog een beetje vroeg, OD," wierp Beano tegen.

"Oké," zei ik tegen hem terwijl ik naar de deur liep. "Ik ga er een drinken."

Hij volgde me naar de Friarystraat en had moeite om me bij te houden, zo'n haast had ik. Toen we bij de deur van de Galtee Lounge kwamen zei iets in mij, datgene wat de nonnen op de basisschool mijn beschermengel pleegden te noemen, 'Ga niet naar binnen'.

Ik liep door.

We praatten de hele avond over voetbal en bespraken eindeloos alle mogelijkheden van wat er in de competitie zou kunnen gebeuren. Wat als St. Peter Evergreen Celtic volgende zaterdag zou verslaan en wij van Cashel zouden verliezen? En wat als we een punt zouden verliezen en St. Peter zou blijven winnen en het op de laatste match aankwam waar een gelijkspel voor hen genoeg zou zijn en wij moesten winnen? Het was allemaal prettige onzin en er was niks aan de hand geweest als ik toen was vertrokken.

Ik dronk te snel en bij ieder glas stoorde de cola in het glas van Beano me meer. Beano dronk nooit alcohol en ik had hem er ook nooit toe willen overhalen. Tot die avond. Die avond dat ik me voelde alsof ik wegdreef naar niemandsland op een langzame boot en hij op de oever stond, nuchter, terwijl hij me in mijn eentje liet verdrinken.

"Drink ook iets," drong ik aan. "Eentje maar."

"Ik drink iets."

"Dat is geen drank, dat is gekleurd water."

Toen begon ik kruiperig te doen, op zoek naar medelijden en gezelschap op mijn boot.

"Beano," smeekte ik, "je weet hoe het zit tussen mij en Nance. Ik ben nu alleen."

"Ik ben er toch?" zei Beano, maar ik zag dat ik aan de winnende hand was.

"Dat is niet hetzelfde. Ik zou net zo goed kunnen drinken met... met..." Ik probeerde iemand te bedenken die ook niet dronk, "met... dokter Seanie Moran."

"Zullen we een partijtje pool spelen?" probeerde Beano.

"Je geeft geen antwoord op mijn vraag."

"Je vroeg me niks," zei Beano onschuldig.

"De vraag is, ga je er een drinken of smeer je 'm?"

Hij dronk twee glazen. Ik had nooit gedacht dat een albino nog bleker kon worden, maar toen we weggingen uit de Galtee Lounge was Beano lijkbleek. Hij stond nog onzekerder op zijn benen dan ik en hoe dichter we bij het Valera park kwamen, hoe stiller hij werd. Op een bepaalde manier was het net als vroeger. Ik was er weer om voor hem te zorgen, net als toen hij jonger was.

Toen we bij het hek van zijn huis aankwamen, wilde hij niet naar binnen. Hij zei dat hij nog een beetje wilde wandelen, maar ik had weer last van mijn knie en ik moest gaan liggen, om het draaien in mijn hoofd te stoppen. Hij bleef erover doorgaan tot ik er genoeg van kreeg en naar huis ging. Ik liet hem bij het hek staan als een dode aan de hemelpoort, of de hel.

De straatlantaarn bij ons huis stond weer te knipperen en ik had moeite om de sleutel in het slot te steken. Binnen heerste zo'n absolute stilte dat ik instinctief naar Jimmy's kamer ging. Toen ik naar binnen keek hoorde ik plotseling een tevreden gesnurk alsof alles in orde was in zijn droomwereld.

Toen mijn ogen aan het donker waren gewend, zag ik een halfleeg glas staan op het tafeltje naast zijn bed. Ik pakte het glas en nam een slok, het was gewoon water. Wat een geluk was voor hem. Als het whisky was geweest, had ik het over zijn hoofd gegoten. Ik strompelde weg in het donker naar mijn bed.

De slaap waarop ik hoopte, kwam niet. Mijn gedachten zochten de overblijfselen van de voorbije weken met Nance en vonden de sporen van problemen die me al veel eerder duidelijk hadden moeten zijn. Natuurlijk werd ik er alleen maar op een dronken manier wijs uit.

Ik besloot dat Nance me had voorbereid op het ergste. Ze werd weggetrokken, niet door de een of andere voorbijgaande stemming, maar omdat de band tussen ons haar ontglipte. Daar kon maar één reden voor zijn. Niet de examens en, besloot ik, ook Tom niet. Er was nog iemand anders bij betrokken, een andere jongen. En als dat het geval was, dan ging ik me niet lopen uitsloven. Ik stond daarboven.

Zoals ik al zei kruip ik achter niemand aan. Nu had ik een reden. Niemand zou achter mij aan kruipen.

Nance

De eerstvolgende dagen zag ik Seanie Moran vaak. Tom wilde zich zo snel mogelijk met hem door de cursus heen werken zodat hij zich op zijn eigen lessen kon concentreren. Na die eerste avond had Seanie het nooit meer over school. Hij vroeg niet meer wanneer, en of, ik naar school terugkwam.

Het werd een avondritueel. Ik opende de deur, bracht hem naar de studeerkamer en praatte even met hem. Later, als ze klaar waren, was ik altijd in de buurt om hem uit te laten. We praatten weer wat en ons gesprek op de drempel duurde vijf minuten de eerste avond, misschien wel tien de volgende avond, tot we bijna een uur praatten op de zaterdagavond van die week.

Hij was de enige met wie ik in die tijd contact had. Tom en May lieten me allebei aan mijn lot over en hoewel dat verwarrend was, was het ook een opluchting. Met OD die uit beeld was verdwenen, was het nauwelijks verbazingwekkend dat ik Seanie die avond uiteindelijk hints begon te geven over mijn probleem.

Toen Tom eerder die avond was thuisgekomen, had ik al aan zijn gezicht gezien dat zijn ploeg Cashel had verslagen. Als OD op de drempel had gestaan hadden we alleen maar over voetbal gepraat. Seanie had het er alleen zijdelings even over en voegde eraan toe dat hij een rotmatch had gehad.

Ik bracht het gesprek weer op zijn beslissing over medicijnen. Dit had ik de hele week langzaam opgebouwd. Als ik mezelf kon wijsmaken dat ik hem hielp, dan zou het gemakkelijker zijn om zijn hulp te aanvaarden.

"Geef je het Rode Kruis ook op?" vroeg ik.

Seanie was niet erg ingenomen met de richting die ons gesprek uitging.

"Ik heb nu geen tijd meer voor al die dingen," zei hij.

"Volgens mij ben je gek dat je probeert je vader een plezier te doen in plaats van gewoon te doen wat je echt wilt."

"Wat moet ik dan doen? Dank je pa, maar niet voor vijfentwintig jaar hard werken?"

"Denk je echt dat hij het allemaal voor jou heeft gedaan?"

"Misschien niet, maar zo ziet hij het wel," zei hij zwak.

Plotseling zat ik weer middenin mijn eigen moeilijkheden. Toen ik vroeg of Mick Moran het 'allemaal echt voor Seanie' had gedaan, dacht ik meteen aan Tom en May. Hadden zij het allemaal voor mij gedaan of alleen maar om een gat in hun eigen leven te vullen? Het idee dat ik gebruikt was, viel van me af.

Uit het niets en nog voordat ik wist dat ik het zou doen, hoorde ik mezelf Heather Kelly's naam noemen.

"Ik moet een vrouw vinden die Heather Kelly heet. Dat is de enige manier om terug naar school te gaan."

Seanies volgende vraag was onvermijdelijk. Ik had hem erin laten lopen.

"Wie is Heather Kelly?"

Juist op dat moment kwam Johnny Regan, de gluiperd wiens haar ik had gewassen met Guinness, langs het hek. Hij keek naar me met zijn gewone vuile blik, maar die veranderde al snel in een onheilspellend lachje. Seanie keek even naar Johnny en huiverde. Ik voelde dat ik moest blijven praten voordat hij ervandoor kon gaan.

"Ze werkte met Tom en May in Kenia. Ik wil haar ontmoeten."

"Kunnen zij je niet vertellen waar ze is?"

"Ik heb liever niet dat ze weten dat ik haar zoek," zei ik.

Hij scheen het te begrijpen, want zijn ogen versmalden zich en gingen daarna weer wijdopen.

"Ik weet niet waarom je die vrouw wilt vinden. Het zijn mijn zaken niet, maar ik zou misschien wel kunnen helpen."

De wolken van de laatste dagen leken even te verdwijnen. Ik sidderde vanbinnen, vol verwachting en angst.

"Vorig jaar," legde hij uit, "deed ik mee aan een opstelwedstrijd over ontwikkelingshulp aan de Derde Wereld en ik vroeg Tom om ideeën. Hij bracht me in contact met een priester, Vader O'Brien, die samen met hem in Kenia was geweest. Hij was erg oud en ik geloof dat hij niet zo best in orde was. Misschien is hij... weet je, misschien is hij er niet meer."

Ik weigerde de mogelijkheid te overwegen dat de priester dood was.

"Wil je het voor mij aan hem vragen?"

"Zeker," zei hij. "Hij woont in Dublin, maar ik heb zijn telefoonnummer nog."

Ik wist dat hij wilde dat ik hem meer zou vertellen, maar ik was bang dat als ik dat zou doen, hij zich dan zou bedenken.

"Hoe zit het met OD?" vroeg hij me. "Ga je nog met hem?"

Ik schudde mijn hoofd en liet de deur een beetje los, toen ik achteruit stapte.

"Het is maar dat..." begon hij, maar ik onderbrak hem.

"Seanie, het is niet het juiste moment om... over die dingen te praten."

"Je begrijpt me helemaal verkeerd, Nance," zei hij. Hij bloosde diep onder zijn gebruinde huid. "Luister, ik bel je zodra ik hem gesproken heb, oké? En, Nance?"

"Ja?"

"Ik ben niet... ik ben niet op iets uit, goed?"

Hoewel hij had bewezen dat hij een aardige jongen was, geloofde ik hem niet. Maar ik glimlachte liefjes en ging naar binnen.

Toen ik door de hal liep, ving ik, via de open deur van de studeerkamer, een glimp op van Tom. Hij zag er ontredderd uit terwijl hij achter zijn pc in de richting van de schoorsteenmantel zat te staren. Misschien had ik het bij het verkeerde eind, maar ik dacht dat ik wist waarnaar hij keek. Een 'familiekiekje' dat was gemaakt op de dag van mijn vormsel. Al die langvervlogen lachjes leken me nu schijn en alleen het kind werd er echt door misleid. En het kind in mij was weg.

May was in de keuken een paar kettingen en oorbellen aan het maken die ze, samen met haar waterverfschilderijen, als nevenproduct verkocht in de winkel voor gezonde voeding. Ik zocht in de ijskast en in de keukenkasten, maar was niet op zoek naar iets in het bijzonder. Ik wilde in de keuken blijven, dicht bij haar, maar ik wist niet zeker waarom. Ik deed wat muesli in een schaaltje.

"We hebben gepraat, Nance," zei May en ik wachtte tot ze weer zou beginnen met haar superzachte aanpak om me te overtuigen.

"Tom denkt dat hij je misschien te veel onder druk heeft gezet. Hij wil dat je weet dat dat nooit zijn bedoeling is geweest."

Ik goot melk bij de muesli en lepelde er wat van in mijn mond, zodat ik er niet bij betrokken zou raken.

"Hij wil - we willen allebei - dat je keuzes in je leven maakt," ging ze door. "Hij wil die keuzes niet voor je maken. Hij wil er alleen zeker van zijn dat als je je punten krijgt, dat je dan hebt wat nodig is om de dingen te doen die je wilt doen."

Ik maakte mezelf misselijk met de muesli, die ik naar binnen schrokte alsof er geen toekomst meer was.

"Er zijn ouders die hun kinderen dwingen dingen te doen, alleen maar om hun eigen kinderachtige ambities te vervullen. Wij vinden alles wat je wilt doen prima, als je maar gelukkig bent."

De lading muesli zat in mijn maag. Ik voelde me opgeblazen.

"Ik ben niet gelukkig," zei ik.

Ze probeerde wanhopig om in mijn ogen te lezen, maar ik

overschaduwde ze met een stuurse, afwijzende blik.

"De school is het niet, je maakt je geen zorgen over de examens?"

Ik gaf geen antwoord, maar ze kon zien dat ik het met haar eens was.

"Is het OD? Ik weet wel dat we nog nooit over jongens en zo hebben gepraat, maar ik heb het vroeger ook allemaal meegemaakt. Je kunt het me wel vertellen."

Ik weet niet waarom ik geshockeerd was door het besef dat May niet altijd Toms vrouw was geweest en dat ze andere jongens had gekend, andere mannen zelfs, maar toch was het zo. En weer hoorde ik mezelf iets zeggen waar ik vanbinnen nog niet helemaal uit was.

"Ik ga niet met OD, dat heb ik al gezegd. Ik ga nu met Seanie Moran."

"Dat is allemaal nogal plotseling," zei ze.

"Het is niet plotseling. En ga me niet vertellen dat Seanie Moran ook niet geschikt is."

"Ik heb nooit gezegd dat OD niet geschikt is, of wel?"

"Tom wel."

"Tom deed zijn uiterste best voor OD. Het is niet zijn schuld dat OD er niet van wilde weten."

"Ik wil niets over OD horen," zei ik kwaad. "En ik heb mijn boeken niet vanwege hem verbrand. Denk je dat ik een Boyzone-groupie ben of zo? Mijn leven wordt niet bepaald door jongens en dat zal ook nooit gebeuren."

Toen, net toen we op het randje van het echte verhaal kwamen, ging de telefoon.

"Ik zal hem wel opnemen," zei ik. Ik rende weg en versloeg Tom met een paar centimeter bij de telefoon.

Aan de andere kant van de lijn moest Seanie zijn 'hallo' drie of vier keer herhalen voordat ik mijn op hol geslagen hartslag onder controle had.

"Seanie, heb je geluk gehad?"

"Je zult me niet geloven, Nance, maar..." zijn stem klonk vlak van teleurstelling.

"Ga me niet vertellen dat hij..."

"Nee, nee, maar hij zit in Engeland voor de een of andere bijeenkomst. Hij is niet terug voor woensdag."

"Ik wist dat er zoiets zou gebeuren," zei ik met weerzin.

"Nance, ik zal het woensdag nog eens proberen, maar wil je erover nadenken om intussen terug naar school te gaan?"

Ik wist dat het chantage was en ik wist dat hij dat ook wist. Maar hij geeft tenminste genoeg om me om bezorgd over me te zijn, dacht ik.

Hij probeerde het nog eens.

"Het zou misschien een goed idee zijn om niet de hele dag thuis vast te zitten. Wat denk jij?"

"Ja," zei ik en het voelde niet als toegeven, "ik zal gaan."

Hij reageerde langzaam en ik voelde zijn nervositeit in de stilte.

"Heb je zin om morgen mee te gaan voor een ritje... zomaar ergens naartoe?"

Seanie was een van de weinigen die zelf naar school reed. De auto, een mooie, opgeknapte, donkergroene Morris Minor, was niet van hem, maar hij mocht hem gebruiken wanneer hij maar wilde. Als ik zou gaan, dan liet ik de hele wereld weten dat het uit was tussen OD en mij. En met een claxon die 'Tubular Bells' speelde, zou ik me voor niemand kunnen verstoppen.

"Hoe laat kom je?" vroeg ik.

"Als je niet wilt..."

"Ik sta klaar om halfdrie, maar ik moet om een uur of vijf weer terug zijn, oké?"

"Zeker," zei hij. "Geen probleem. Dat is fantastisch. Halfdrie dan."

"Dit betekent niet dat we..." begon ik, maar wist niet goed wat ik verder moest zeggen.

"Ik weet het... ik weet wat je wilt zeggen en het is in orde," verzekerde hij me. "Voor mij is het in orde."

Maar hij wist niet echt wat ik zei, want ik wist het zelf niet.

OD

"Ik heb het hem op een presenteerblaadje aangereikt," zei ik. "Een klein tikje ertegen was genoeg geweest."

Opnieuw maandagochtend en ik was verschrikkelijk kwaad over de match van zaterdag. Als Seanie de kans had gebruikt die ik hem had gegeven, dan hadden we tenminste nog een gelijk spel in de wacht gesleept. Voor een open doel had hij het verknald omdat hij, zoals gewoonlijk, te nonchalant was. Toen hij zijn schouders ophaalde nadat de bal ver naast ging, had ik hem wel kunnen vermoorden. En om het nog erger te maken, had St. Peter zijn wedstrijd gewonnen en stonden we twee punten achter.

We zaten achter de rotspartij in de 'geheime tuin', met ons vieren. Of eigenlijk met ons drieën. Johnny Regan zat een eindje bij ons vandaan te gluren en zijn drugs te roken. Met gespitste oren wachtte hij zijn kans af.

Toen ik naar Johnny keek, voelde ik me misselijk, misselijk van mezelf. Het afgelopen jaar, sinds Johnny zich met drugs bezighield, had ik Beano tegen hem in bescherming genomen. Ik wist dat hij het spul al bij een paar jongens had aangepraat en Beano was een gemakkelijk doelwit. Nu was ik degene die hem op het verkeerde pad had gebracht en ik voelde me nog lager dan Johnny, als dat al mogelijk was.

Ik had er een slecht gevoel over dat Beano en Snipe zo laat waren, maar ik concentreerde me, voor het moment, op Seanie.

"Het is een luie klootzak," zei iemand. We waren het er allemaal mee eens, behalve Johnny, die had het te druk met het laatste trekje uit zijn joint.

"Moran zit alleen maar in de ploeg omdat hij Mahoney's sterpupil is," mopperde iemand anders.

"Te druk met studeren," zei ik, de stomme logica volgend en achteromkijkend naar de cabine om te zien of het hangslot al weg was.

Johnny Regan gniffelde en zei binnensmonds iets, toen ik Snipe zag binnenkomen door het hek vooraan op het terrein. Toen ik me omdraaide naar de jongens om het ze te vertellen, waren ze stil geworden en zaten Johnny aan te gapen. Toen keken ze allemaal naar mij. Ik pakte een schop.

"Snipe is er," vertelde ik ze. "Wat zei je, Johnny?"

Hij liep net weg, terwijl hij me in de gaten hield en zijn laarzen op het grindpad knarsten. Hij had een breekijzer in zijn hand.

"Ik zei dat Moran een bezig baasje is, dat is zeker."

"En dat betekent?"

"Jij zei dat hij het te druk heeft met studeren. Ik zei dat hij een bezig baasje is, over en uit, amen, zo zij het, einde van het verhaal."

Ik deed een stap in zijn richting en hij struikelde. Het breekijzer viel op de grond en hij kwam op één knie terecht. Hij zag eruit of hij zat te bidden, maar hij keek nog steeds spottend.

"Wat gaat er in die vettige kop van je om, Johnny?"

Hij zat nog steeds op de grond en pakte een handvol steentjes, die hij rond liet rollen op zijn hand.

"Moran is niet met zijn gedachten bij de wedstrijd, omdat hij verliefd is, OD."

Ik hield mij vast aan mijn schop of het een wrakstuk was na een ontploffing.

"Zag je hem met Nance?"

"Ja, bij haar huis. En gisteren heeft hij haar meegenomen voor een ritje, in zijn auto."

Ik had me erbij neergelegd dat ik was afgedankt, maar het idee dat ik aan de kant was gezet voor Seanie Moran was me te veel. Ik slingerde de schop naar Johnny en hij kon net op het nippertje ontkomen. Het blad hakte zich een weg door de steentjes en sloeg een wond in de klei. Hij kroop als een echte rat naar de grasrand en spuugde het gruis uit, terwijl hij langzaam opstond.

"Je bent gek, Ryan. Het zit in de familie."

Hij zette het op een lopen toen ik de schop naar hem toe keilde, maar het was niet mijn bedoeling hem te raken, ik wilde de schop gewoon kwijt. Ik keek rond over het terrein in een poging te bedenken wat ik nu zou doen. Na daar een paar minuten als een standbeeld te hebben gestaan, ging ik naar de cabine om uit te zoeken waar Beano was.

Snipe zat niet in de *Sun* te lezen. Hij zag er afwezig uit en toen hij me zag begon hij met papieren op het bureau te schuiven.

"Ja?" zei hij.

"Waar is Beano?"

"Was jij gisterenavond bij hem?" vroeg hij dringend.

Hierdoor werd de Judas in me wakker, of die andere vent, die zei: 'Ben ik mijn broeders hoeder?'

"Nee," loog ik en schuifelde ervandoor, als een slang.

Beano had een kater en deed misschien of hij ziek was, zo simpel was het, hield ik mezelf voor. Ik ging aan het werk, blij mezelf te verliezen in het gedachteloze gezwoeg en uit de weg blijvend van Johnny Regan.

Met lunchtijd sloeg ik Super Snax over. Ik had geen honger. In plaats daarvan ging ik naar Beano's huis. Snipe zou toch bij de bookmakers zitten.

Beano's moeder deed de deur open. Eindelijk. Ze was een klein vrouwtje met een verstrooide, bijna wilde blik, maar haar stem was zacht. Achter haar rook het huis naar ontsmettingsmiddel.

"Zou ik Beano kunnen spreken, mevrouw?"

"Beano?"

69

Ze had blijkbaar moeite om zich te herinneren wie Beano was. Ze had de deur niet helemaal geopend en nu hield ze hem nog op een heel klein kiertje.

"Hij heb griep."

Ze keek over me heen met waterige ogen, niet van tranen, maar door een soort wazige nevel. Ik wist van Beano dat ze bepaalde pillen nam voor haar zenuwen. Die dag moet ze een dubbele dosis hebben genomen, zover was ze heen.

"Griep... hij ken niet lopen. Praten, bedoel ik, hij ken niet praten... of zoiets..."

Nu wilde ze me kwijt. Ze stapte terug in de hal en vergat de deur volledig te sluiten. Vanaf de deur riep ik naar boven, in de hoop dat Beano zou antwoorden en mijn gedachten zou geruststellen.

"Beano? Beano? Is alles goed?"

Het enige geluid kwam van de tv in de voorkamer. Ze zette het geluid harder om het lawaai van de wereld te overstemmen.

"Ik zie je morgen wel," riep ik en voelde me ontzettend belachelijk toen ik zo in de lege hal stond te roepen.

Ik had tijd over voordat ik terug moest naar het terrein, dus wipte ik thuis nog een paar minuutjes binnen. Ik dacht een kop thee te nemen en nog een beetje te lezen op mijn kamer. Ik had een tijdje geleden een biografie van Dylan Thomas meegenomen uit de bibliotheek, maar zoals de dingen nu liepen, was ik er nog niet toe gekomen hem te lezen. Ik wilde zijn gedichten beter begrijpen. Ik dacht dat ik dan zelf iets zou kunnen schrijven. In al het andere was ik mislukt. Het leek me het enige wat overbleef om te proberen.

Ik ging naar boven om het boek te halen. Ik hoorde Jimmy bezig in de keuken en zag af van de thee. Ik ging languit op bed liggen en vergat de pijn in mijn knie en Beano en Seanie Moran en

70

Nance en al de anderen. Alles, zelfs de tijd.

Dylan Thomas was al achttien en verhuisde van Wales, waar hij geboren was, naar Londen, toen mijn kamerdeur openging. Dat was Jimmy Ryan niet, niet de Jimmy Ryan die ik kende.

Zijn lange, vettig glanzende haar was tot de wortels afgeschoren. Zijn lach vol tanden was niet langer belachelijk. Hij zag er bijna jong uit. Een vleugje make-up om de kleine paarse adertjes in zijn gezicht te bedekken, een paar vullinkjes op de neerhangende schouders, en hij kon schitteren als zichzelf in de film over zijn jonge jaren.

"Werk je maar een halve dag of zo?" vroeg hij vriendelijk.

"Nee," mompelde ik, te verbluft om meer te zeggen.

"Ik heb me toch een ochtendje achter de rug, OD, dat kan ik je wel vertellen."

Hij kwam naar me toe en ging op de vensterbank naast mijn bed zitten.

"Eerst de knipbeurt. Ze konden een matras vullen met het haar dat eraf kwam."

Het leek hem niet te deren dat ik deed of ik weer las.

"Toen ging ik naar het Sound Centre. 'Hoeveel,' zei ik, 'gaat een tweedehands trompet me kosten?'"

Hij stopte en ik kon het niet helpen dat ik naar hem opkeek. Toen zag ik de schaduw over zijn gezicht vallen. In zijn stem klonk nu geen valse opgewektheid. Er zat iets in dat me echt verraste.

"Een of ander achterlijk kereltje uit Cork is de eigenaar. Ken jij hem? Murray?"

Zoals hij het zei, klonk het bijna als 'smurrie'.

"Hij zei: 'Te veel,' en ging verder met nieuwe snaren zetten op een wrakkige gitaar. 'Ik zou per week kunnen betalen,' zei ik en hij schudde zijn hoofd."

Ik kon me goed voorstellen hoe Jimmy daar stond en gene-

71

geerd werd door die vent van Murray die ik goed kende. Ik had een vroeger album van Van Morrison, 'Astral Weeks', bij hem besteld, een tijdje daarvoor. Murray mocht zijn 'Astral Weeks' houden. Kwaad als ik was op Murray, was ik nog kwader op Jimmy omdat hij zichzelf zo kleineerde.

"Dus ik vraag hem wat hij zoal heeft in die aard, en hij zet de gitaar neer en gooit me er bijna uit. Ik vraag hem nog eens wat hij heeft en hoeveel hij ervoor wil hebben."

Ik legde het boek neer. De manier waarop dit verhaal verliep, beviel me niet. Het klonk of het weer een van zijn pechverhalen zou worden. Ik wilde er een eind aan maken.

"Hoe laat is het?" vroeg ik scherp.

Verspilde moeite. Hij was nog steeds in het Sound Centre.

"Ik boog me voorover over de toonbank en ik zei: 'Laat me de trompetten zien, knul.'"

Plotseling was de spanning verdwenen en hij zat zo te gniffelen en te gnuiven dat zijn gebit ervan klapperde, de illusie van jeugd was een fractie van een seconde verbroken. Hij lachte het weg en ik was er, stiekem, blij om dat hij dat kon. Ik merkte dat ik zelf ook zat te grijnzen. Zijn gezicht lichtte op toen hij dat zag.

"Ik denk dat het door mijn skinheadkapsel kwam, OD. Murray deed het in zijn broek. De trompetten kwamen tevoorschijn. Twee lorren, een schoonheid, een beetje gedeukt, maar glanzend, jongen, glanzend. Ik smakte met mijn oude lippen, hield ze klaar."

Hij stond op en deed iedere beweging voor, mimede het aanreiken van de trompet, de vingers die de ventielen uitprobeerden, het opheffen, het schrapen van zijn keel.

"Hoeveel?" vroeg ik.

Hij blies zijn wangen bol, haalde diep adem. En blies weer uit.

"Klonk als een stier met diarree. Er stond een telefoon aan het andere eind van de toonbank en Murray keek ernaar en dacht erover om hem te grijpen. Maar ik ging tussen hem en de telefoon staan en ik blies weer en ik gaf hem..."

"Jimmy! Hoeveel?"

"Je had zijn gezicht moeten zien. Als ik zo'n scamcorder dinges had gehad, OD..."

"Camcorder," snauwde ik.

"Ja, zo'n ding. Als ik het had kunnen opnemen, had ik er de rest van mijn leven naar gekeken. Hij dacht dat ik een klaploper was, OD, maar ik liet hem zien wat ik echt ben. Een muzikant. Iedereen kan platen verkopen. Ik kan muziek maken. Ik kan muziek maken met deze oude zuipmond en deze... deze..."

Hij keek naar zijn handen. Ze werden verondersteld een trompet vast te houden. Alleen hij geloofde erin.

"Hoeveel gaat het kosten, Jimmy?"

De trompet die er niet was, verdween. Hij vouwde zijn armen stevig over elkaar.

"Doet er niet toe," zei hij. "Hij is van mij. Murray houdt hem voor me tot ik het geld bij elkaar heb. Ik heb hem tien pond voorschot gegeven. Hij is van mij."

Nance

Mijn eerste dag terug op school en ik was op weg naar het bureau van de directeur. Maar nee, ik zat niet in de nesten. Ik had de hele ochtend rustig in de klas gezeten en er was me niet één vraag gesteld en dat zat me dwars. Ik vroeg me af of Tom ze had gevraagd om het rustig aan te doen met me. Nu ging ik naar hem toe om hem te zien en om de boeken op te halen die hij voor me bij elkaar had weten te krijgen. De directeur was er niet, dus nam Tom de zaken waar. Ik klopte op de geelgeverfde deur en het geluid echode door de lege gang.

"Binnen," riep Tom en voor de eerste keer in dagen leek hij aangenaam getroffen toen hij me zag.

"Ik heb alles voor je behalve..." begon hij.

"Waarom ontwijken de leraren me?" vroeg ik. "Komt dat door jou?"

"Natuurlijk niet," zei hij. "Maar ze zijn niet achterlijk. Ze weten ook dat een en een twee is, dat is alles."

"Sorry, dat ik lastig deed," zei ik gevoelloos.

Hij zette zijn gekwetste vadergezicht op. Ik weet niet hoe mijn gezicht stond, maar voor Tom had het maar één betekenis.

"Vanwaar toch al die plotselinge haat, Nance? Als ik niet weet wat ik verkeerd heb gedaan, hoe kan ik het dan goedmaken?"

"Ik haat je niet," zei ik, maar ik keek naar de dossierkast naast hem toen ik het zei en niet in zijn smekende ogen.

"Heb je met je moeder gepraat?"

De vraag maakte me duizelig, tot ik besefte dat hij het over May had.

"Waarover gepraat met haar?" zei ik en hing het onnozele gansje uit.

"Je kunt haar toch zeker zeggen wat er scheelt? Ik weet wel dat je het niet tegen mij kunt zeggen."

De dossierkast was grijs en glanzend. Dat was alles wat je ervan kon zeggen. Maar ik bleef er toch naar staren. Zijn diepe zucht vertelde me dat hij het voorlopig opgaf om tot me door te dringen. Ik draaide me om naar de deur en vergat waarom ik eigenlijk was gekomen.

"Neem je de boeken mee?" vroeg hij.

"Ik denk het wel."

"Kijk, Nance," zei hij vermoeid, "ik weet niet waarom je deed wat je hebt gedaan, vorige week. En ik weet ook niet waarom je bent teruggekomen naar school. Maar ik zou het op prijs stellen als je voor het een of voor het ander kiest. Anders zal ik voor je moeten beslissen."

"En wat is daar voor nieuws aan?"

"Hoe bedoel je?"

"Beslissen voor mij. Dat doe je toch altijd al," zei ik.

"Je weet dat dat niet waar is."

Zijn handen die doelloos over het volle bureau hadden bewogen, grepen een briefopener, een miniatuur samoeraizwaard. Ik dacht eraan hoe enthousiast hij was geweest toen ik had gezegd dat ik ingenieur wilde worden. Hij zocht boeken voor me op en maakte fotokopieën van de verschillende studiegidsen. Het scheen me toe dat hij een doel voor me had gevonden en dat hij vastbesloten was om me daar te krijgen.

"Ik heb niemand nodig om voor mij te beslissen," vertelde ik hem.

Hij hief de briefopener op en stak hem naar me toe. Ik wist niet wat hij wilde, maar het was beangstigend. Ik hoopte dat de secretaresse of een van de leraren niet zou binnenkomen en hem zo zou zien. Hij prikte met zijn vinger in het midden van zijn borst.

"Neem het," zei hij, "er zit hier een zacht plekje. Als je dit er hard genoeg induwt, kun je me doden. Het is er scherp genoeg voor."

"Ik ga terug naar mijn klas," zei ik.

"Het spijt me, Nance, dat was flauw, enorm flauw. Als je niet terug wilt, doe het dan niet."

Ik had geen zin meer in dit rare gedoe en liet het maar zo, pakte mijn nieuwe boeken en liet hem alleen. De rest van de ochtend verliep zonder incidenten en ik bracht de meeste tijd door met proberen te bedenken wat ik zou zeggen als ik Heather Kelly vond. Maar mijn gedachten werden steeds afgeleid naar de paar minuutjes die ik had doorgebracht in Toms kamer.

Niet het gedoe met de briefopener hield me bezig. Toen hij had gevraagd of ik met May had gepraat, had ik er niet bij stilgestaan. Nu ik tijd had om erover na te denken, vroeg ik mij af of hij echt niet wist of ik met haar gesproken had. Als hij het niet wist, betekende dat dan dat ze er al mee opgehouden waren elkaar in vertrouwen te nemen? Ik had niet verwacht zo snel een wig tussen hen te drijven. Ik kon er niets aan doen dat ik dacht dat hun relatie minder perfect moest zijn dan hij er altijd had uitgezien, als je er zo gemakkelijk tussen kon komen.

Seanie bood me tijdens de lunchpauze een lift aan naar huis en ik nam het alleen maar aan omdat ik bang was dat hij anders van gedachten zou veranderen wat betreft zijn hulp aan mij. Tijdens ons tochtje de dag ervoor hadden we niet veel gezegd. We waren naar de Glen van Aherlow gereden en hadden een uur in de auto gezeten terwijl we keken naar de met boerderijen, schapen en vee bezaaide velden. Het was zo fijn om te voelen dat je op een bepaalde manier boven alle kleine probleempjes in de wereld daar beneden stond.

Later waren we binnengegaan in een cafeetje in Tipperary.

Toen we koffie zaten te drinken en nadachten over onze eigen problemen, kwam er een kindje van een jaar of drie, vier naar ons toe dat me maar steeds stond aan te staren. Ik lachte naar hem, maar hij keek me alleen maar aan met ogen als schoteltjes, wel een minuut lang. Seanie werd er ongemakkelijk van. Hij dronk zijn koffie op en stond op om te vertrekken.

"Het wordt al laat."

Op dat ogenblik rende het kind terug naar zijn ouders, die in de buurt zaten.

"Dat meisje is helemaal bruin," riep hij uit.

Ze probeerden hem stil te krijgen, maar hij ging enthousiast door.

"En haar handen zijn helemaal bruin aan de buitenkant en wit vanbinnen!" riep hij. De ouders deden of ze de veters van het kind strikten. Het was bijna grappig hoe ze elkaar in de weg zaten, toen ze naar beneden doken voor dekking.

"Het is maar een onnozel kind, Nance," fluisterde Seanie.

Ik hield niet van van zijn sussende, geheimzinnige toontje. Ik hield er niet van om gerustgesteld te worden. Ik hield niet van de blik in zijn ogen, die zei dat hij leed in mijn plaats. "Seanie, ik heb niemand nodig om me te vertellen dat ik me niets moet aantrekken van dit soort dingen," zei ik. "Ik ken het verhaal. Het verhaal verandert nooit."

Wanneer ik aan het voorval terugdacht, speet het me voor het echtpaar en het speet me ook dat ik zo hard was geweest tegen Seanie. Ik wist dat het niet eerlijk was om te zwijgen toen hij me naar huis bracht met de auto, maar ik had niemand iets te zeggen. We reden tot voor het hek aan de voorkant en ik opende het portier.

"Zal ik je op de terugweg ophalen?" vroeg hij over het geluid van REM op de autoradio heen.

"Night Swimming..." zei ik, "wat betekent dat? Dat liedje?"

"Geen idee," antwoordde hij, "maar het klinkt goed."

Toen besefte ik dat ik de vraag niet aan Seanie stelde. Ik vroeg het aan OD. Hij had altijd een theorie over elk liedje, elke film of het boek dat je noemde. Ik was het meestal niet met hem eens. Om een woordenwisseling uit te lokken. Het soort woordenwisseling dat ons samenhield, niet die andere soort die ons uit elkaar dreef. Zo konden we elkaar een beetje de loef afsteken om te bewijzen dat we niet gewoon zo'n verliefd koppeltje waren dat alleen geïnteresseerd was in kussen en lieve nietszeggende dingen, hoewel we daar ook veel aan deden. Zo zou het nooit worden tussen Seanie en mij. Niet zulke gesprekken. Niet zulke kussen.

Ik keek naar hem. Ik vroeg me af hoe ik hem, die er zo goed uitzag, om de tuin had kunnen leiden, hoewel, diep vanbinnen wist ik natuurlijk heel goed waarom. Ik kon haast niet wachten tot woensdag als ik de schijn niet langer op hoefde te houden.

Er was een ogenblikje paniek toen ik me verbeeldde dat hij naar me toe schoof, maar hij draaide alleen het geluid van de radio zachter. Hij scheen mijn gescharrel om eruit te komen niet te hebben opgemerkt.

"We zullen haar vinden, Nance," zei hij. Ik kon de handboeien bijna rond mijn pols horen klikken, we zaten er samen in, zo zag hij het.

"Ja."

"Zal ik je na de lunch komen halen?"

"Nee, ik ga wel lopen," zei ik. "Mijn hoofd laten uitwaaien."

Ik wachtte tot de Morris Minor uit het zicht was verdwenen voordat ik me van ons hek omdraaide en in de richting van het Valera park liep. Toen ik voorbij het huis van OD kwam, wat ik had kunnen vermijden als ik dat had gewild, vroeg ik me af of Jimmy nog vooruitgang had geboekt met zijn grote plan om opnieuw te

beginnen. Ik hoopte van wel, hoewel het nog steeds overwoeker-
de voortuintje en de niet-gerepareerde voordeur er weinig belo-
vend uitzagen. Ik veronderstelde dat OD er wel voor gezorgd zou
hebben dat zijn nieuwverworven zelfvertrouwen ondermijnd was.
De gedachte alleen al was bijna genoeg om niet door te lopen naar
Beano's huis.

Ik was op weg daarnaartoe omdat ik Beano, en via hem OD,
wilde vertellen dat Seanie niet de oorzaak was van onze breuk, dat
er niets was tussen Seanie en mij. Ik wilde niet dat OD de roddels
zou geloven die zeker de ronde deden. Niet omdat ik naar hem
terug wilde, maar omdat ik niet wilde dat hij, of wie dan ook, zou
denken dat ik zo'n sloerie was die van de ene jongen naar de andere rende.

Hoe dichter ik bij Beano's huis kwam, hoe minder zeker ik
ervan was dat dat de echte reden was, en hoe minder zeker ik wist
wat ik ging zeggen. Misschien zou ik alleen maar vragen hoe het
met OD ging. Misschien was dat alles wat ik wilde vragen.

Ik zou het huis gewoon voorbijgelopen zijn als de voordeur al
niet open had gestaan en als ik niet had gehoord wat mijn oren
nauwelijks konden geloven. Mevrouw Doyle was al bij de deur nog
voordat ik bij de klopper was. Ze zag er niet goed uit. Op de achtergrond schreeuwde Beano het uit.

"Wat moet jij hier?" gilde ze. "Willen jullie nu allemaal eens
opdonderen en ons met rust laten!"

"Wat is er met Beano?" vroeg ik, bevend maar dapper.

"Hij heeft zijn enkel bezeerd. Het zal wel genezen. Ik wou dat
ik hetzelfde kon zeggen van mijn hoofd."

"Hebt u een dokter gebeld?"

"Ik ben al bij honderd dokters geweest. Alles wat ze doen is me
pillen geven."

Ik vroeg me af of ze het lawaai van boven wel hoorde. De pijn die in Beano's gehuil doorklonk sneed door mijn hersens.

"Voor Beano!"

Ik besefte niet dat ik geroepen had tot Snipe achter zijn vrouw verscheen. Ik weet niet wie hij verwachtte te zien, maar ik zag aan zijn gezicht dat hij opgelucht was dat ik het maar was. Hij zette een stomme, innemende glimlach op.

"Blaffende honden bijten niet," zei hij en draaide zijn ogen in de richting van Beano's geschreeuw.

Het moest een grapje voorstellen, maar ik kreeg rillingen van een vader die zo ijskoud grappen maakte over de pijn van zijn zoon.

"Is er een dokter bij hem geweest?" vroeg ik dringend.

Hij fronste zijn voorhoofd. Hij wist hoe hij me deed walgen.

"Er wordt voor hem gezorgd," zei hij. "Niet dat het jouw zaken zijn. Wat gebeurt hier verdomme allemaal? Eerst komt Ryan langs en dan jij..."

Ik kreeg een vreemd gevoel toen ik hoorde dat OD hier vóór mij was geweest. Het leek of we nog steeds dezelfde richting uitgingen, allebei, maar dat we alleen op verschillende tijden aankwamen.

Snipe duwde zijn vrouw opzij, greep de deur en sloeg hem in mijn gezicht dicht. Toen ik daar stond te wachten op Beano's volgende schreeuw, een schreeuw die niet kwam, besefte ik dat de tranen over mijn gezicht stroomden. Ik kan je niet helpen, Beano, zei ik tegen mezelf, ik kan mezelf niet eens helpen.

Er klonken stemmen op de straat achter me en ik was te beschaamd om me om te draaien. Ik wilde op mijn knieën vallen. Ik wilde dat iemand me zou oprapen. Toen ik de claxon hoorde, wist ik dat hij naar mij toeterde. Het geluid was onmiskenbaar: de eerste maten van 'Tubular Bells'. Ik rende naar de Morris Minor en stapte zo snel ik kon in.

Ik begroef mijn hoofd in mijn handen. Toen ik mijn stem had teruggevonden, praatte ik maar door. Ik vertelde Seanie waarom ik Heather Kelly moest vinden, het hele verhaal, vanaf het moment dat ik de foto had gevonden. Alles. Ik had meer dan een uur nodig en sloeg mijn ogen niet één keer op. We misten twee lessen, maar Tom heeft er nooit met een woord over gerept. Ik neem aan dat hij blij was dat ik tenminste terugkwam voor de laatste twee uur, als hij nog om mij en school gaf.

Maar ik vergat dat van Beano. Ik heb nooit een woord gezegd over Beano. Misschien dacht ik dat OD dat zou uitzoeken. Op een bepaalde manier had ik gelijk.

OD

Als je denkt dat de dingen niet nog erger kunnen worden, dan kun je er zeker van zijn dat het zal gebeuren. Noem het de Wet van OD als je wilt: ramp plus X (het onbekende, de toekomst, de volgende minuut) is gelijk aan Dubbele Ramp. Die middag, toen ik Jimmy achterliet in zijn fantasiewereld waar geld niet telde, was mijn stemming beneden peil. En hij zakte daarna nog dieper.

Ik was bij het hek toen ik Seanies kotsgroene pausmobiel in het snotje kreeg die geparkeerd stond naast Beano's huis. Ik kon er geen touw aan vastknopen. Het was of je een lijkwagen bij een disco ziet of zoiets absurds. Seanie keek niet in mijn richting, maar keek bezorgd naar de passagiersplaats. Het volgende wat ik zag, was Nances hoofd dat verscheen. Ik wachtte niet tot ik haar gezicht zag. Ik wankelde terug naar het huis, alsof ik thuiskwam na een avondje in de Galtee Lounge. Ik vertrok via de laan achter ons huis.

Mijn hart knalde een razend ritme, iets tussen reggae, rap en house. De tekst ging ongeveer als 'het doet er niet toe' en 'nou en', maar paste niet bij het ritme. Op hetzelfde ogenblik moet iemand spelden hebben gestoken in een voodoobeeldje van me, want mijn knie werd getrakteerd op brandende steken.

Het was gemakkelijk om de schuld op Seanie te schuiven. Als hij er niet zo snel tussen was gekomen, dan waren we wel over dit kibbelpartijtje heen gekomen. De hele terugweg naar het terrein werd ik heen en weer geslingerd tussen twee gedachten: aan de ene kant had ik zin om hem een pak rammel te verkopen, aan de andere kant vertelde ik mijzelf dat ik door moest gaan met mijn eigen leven. Wat je niet echt een keuze kunt noemen, gezien het rottige leven dat ik leidde.

Dat een leven noemen? Wat was ik? Een uitvaller, een zuip-schuit van zeventien, halfkreupel, nog een paar weken verwijderd van weer een uitkering, voorgoed, voor eeuwig. Ik duwde het hek van het park open, mijn gedachten zweefden ergens tussen uit de bol gaan en het allemaal laten bezinken.

Snipe wachtte me niet op, hoewel het al ver na drieën was. Ik liep naar binnen langs de cabine, maar hij werd zo in beslag geno-men door de telefoon dat hij niet eens naar me opkeek. Een late weddenschap aan het afsluiten vermoedde ik. Ik liep naar de rots-partij. Toen zag ik de twee landmeters: een keek door een soort camera op een driepoot en maakte aantekeningen; de ander, die een eindje verder stond, hield een lange, witte stok vast, gemar-keerd als een lineaal.

Ik stak over naar de plaats waar de mannen druk in de weer waren met het verplaatsen van kruiwagens vol steentjes van de ene kant naar de andere en weer terug.

"Wat gebeurt er?" vroeg ik, maar niemand scheen het te weten.

Er leek iets niet te kloppen, maar ik wist niet wat. Ik wist bijna niets van bouwen en dat soort dingen af, maar ik wist dat er iets verraderlijks was aan het opmeten van een terrein als het werk bijna af was. En waarom zou je eigenlijk een leuk park willen opmeten?

Om de een of andere reden, paranoia of zin in ruzie, liep ik naar de cabine. Snipe was niet meer aan het telefoneren en had een humeur waarvan hij zo ongeveer op en neer wipte op zijn stoel.

"Wat moet jij?" baste hij.

"Ga me niet vertellen," ginnegapte ik, "dat je een vijfje hebt verloren aan de twee-dertig van Ketterick."

"Donder op, OD."

Ik ging op zijn bureau zitten, alleen maar om zijn bloeddruk wat omhoog te jagen. Hij was te veel verdiept in het kijken naar de landmeters buiten om zijn gebruikelijke protest te laten horen.

"Ik vroeg me af wat die kerels daar aan het doen zijn," zei ik.

"Je vroeg het je af, hè?" zei hij, nog steeds verstrooid. "Jongetje Weetgraag."

Hij keek naar het plan van het terrein op zijn bureau en wreef stevig met zijn hand over zijn kin.

"We hebben het verknoeid, nietwaar?" vroeg ik.

"Hoepel op, OD."

"Het is maar een stom park. Wat doet het ertoe als we het een beetje overdreven hebben?"

"We hebben... ik heb het niet overdreven. Alles is volgens de plannen uitgevoerd. Alles, tot en met het laatste steentje."

"Wat is dan het probleem?"

"Het probleem is dat niemand me wil vertellen wat het probleem is. En nu weer aan het werk. Ik moet nog een paar mensen bellen."

Ik was bij de deur toen ik me Beano herinnerde. Het was niet het juiste moment om het te vragen en ik wilde het zo laten, maar hij riep me achterna.

"En, Ryan?"

"Ja?"

"Blijf weg van ons huis... jij en je jong."

"Nance?" vroeg ik, helemaal ondersteboven.

"Dat zwartje. Hou haar gewoon weg, oké?"

'Zwartje' klonk als een vloek uit zijn mond. Ik ging terug naar zijn bureau, maar nu liep ik eromheen.

"Nance is 'mijn jong' niet. Maar ik waarschuw je, praat niet op zo'n manier over haar."

Hij werd zenuwachtig, maar verborg het onder een masker van stoerheid.

"Ik zei dat ze zwart is, en zwart is ze. Wat heb je, knul, ben je kleurenblind of zo?"

"Nee, dat ben ik niet. Ik zie dat jij een klein, bleek ventje bent."

Hij verschoof zijn gewicht op de stoel en ik zag hem denken dat hij naar me toe moest komen. Ik hitste hem nog een beetje op.

"En ik ga naar Beano op ieder moment dat ik daar zin in heb," zei ik, "hij is mijn vriend."

Hij schoot overeind en greep mijn shirt van voren vast. Voordat ik het wist stond ik tegen de muur geklemd. Ik moest drie of vier keer hard duwen om hem van me af te krijgen.

"Jij hebt hem volgegoten, smeerlap," schreeuwde hij, "doe dat nog eens en je bent een lijk!"

Ik had er toen bovenop kunnen slaan, maar ik wist dat hij gelijk had. Ik stond mezelf zo tegen dat ik mezelf een verontschuldiging hoorde mompelen tegen Snipe. Ik was echt mezelf niet meer.

"Het... het spijt me dat... ik... had dat niet..."

Hij was nog meer verbluft dan ik. Hij bracht zijn rugbydas in orde en streek de mouwen van zijn jasje glad.

"Het heeft geen zin om nu spijt te hebben, knul, het kwaad is geschied."

Ik zorgde dat ik buitenkwam voordat ik mijn hoofd helemaal zou verliezen.

Het duurde nog een uur voordat het tijd was om naar huis te gaan, maar de minuten duurden eeuwen. Ik vond een enorm rotsblok dat we niet voor de rotspartij gebruikt hadden en greep een knots van een hamer. Ik lette niet op de vreemde blikken van de mannen of op Johnny Regans wazige gegluur, en hakte het in stukken. Ik hamerde ze de grond in.

Toen ik thuis was, drie kwartier later, wist ik zeker dat ik gekalmeerd was. Ik liet Jimmy met rust over het geld voor zijn trompet en zorgde voor de verandering voor de thee, al is het smeren van een paar boterhammen, het enige wat we in die tijd ooit in huis hadden, niet zo moeilijk. Ik ging naar de plaatselijke frituur en Jimmy at thuis, met meeneemmaaltijden. De enige etensgeur in ons huis kwam van friet met mayonaise, en toen die er niet meer was, had ik dat niet eens in de gaten. Had ik dat wel gedaan, dan had ik dat waarschijnlijk toegeschreven aan die overweldigende geur van neplavendel die hij iedere dag om zich heen spoot op zijn dagelijkse ronde van huishoudelijke karweitjes.

Ik was zo rustig dat ik hem zowaar vroeg of het bloeden van zijn tandvlees was verminderd. Hij was blij dat ik het vroeg.

"Geen probleem, OD. We doen weer mee, jongen, we doen weer mee."

Hij legde de opgewektheid er wat te dik bovenop en ik was bang dat als ik door zou gaan over het geld, waar we het eerder over gehad hadden, dat ik hem dan van zijn hele comeback-idee zou afbrengen. Ik kon het niet zeggen, maar ik wilde dat hij zou slagen. Als ik een beetje aardig was geweest, dan had ik hem nog aangemoedigd. Wat ik natuurlijk niet deed. In plaats daarvan ging ik naar boven en verdiepte me weer in Dylan Thomas om hem te volgen op zijn ronde langs de Londense pubs en uitgevers. Mijn held was op weg naar beroemdheid en alcoholisme. Wat me, op dat moment, beter leek dan de anonimiteit en het alcoholisme die Jimmy's - en mijn - lot waren.

Rond zeven uur pakte ik mijn spullen bij elkaar en vertrok naar de training. Zelfs nadat Mahoney het team had overgenomen kreeg ik nog steeds een kick van joggen, sprinten, spelonderdelen oefenen en al het andere gedoe en gestamp op die dinsdag- en donderdagavonden. De gedachte dat mijn knie helemaal de vernieling in zou gaan, door een onverwachte trap of zo, had dat nu allemaal voor me bedorven. Iedere training was weer een nieuwe fase in de hindernissenkoers waarin mijn leven was veranderd.

Toch wist ik dat ik me moest laten zien. Mahoney was er een voorstander van om alleen die jongens op te stellen die hadden getraind. De vorige zaterdag nog was hij in een slechte bui geweest, zelfs voor de wedstrijd tegen Cashel. Dus was er geen sprake van om zelfs maar te proberen uitvluchten te verzinnen. Ik moest gaan.

Alles ging een poosje goed. We deden onze rondjes en oefeningen onder de schijnwerpers die ik Mahoney zowaar had helpen opstellen. Toen hij zei dat ik goed was in die dingen, liet hij dat zelfs niet een beetje als een compliment klinken. Hij had veel veranderd in de manier waarop we trainden en speelden en de resultaten gaven hem gelijk. In zoverre moest ik hem de eer laten. Hij had in de Ierse competitie gespeeld bij de Bohemians, in de vroege jaren zeventig, en hij wist waar hij het over had. Het jaar ervoor waren we tweede van onder geweest. Nu waren we tweede van boven.

De training was zwaar en ik was zo voorzichtig als ik maar kon, zonder het te veel te laten merken, wat goed ging tot de zeven-tegen-zeven begon. Meestal werden Seanie en ik in hetzelfde team gezet en we verloren zelden. Toen Mahoney ons tegenover elkaar plaatste, geloofde ik dat hij wist dat ik iets tegen Seanie had. Daartoe achtte ik hem wel in staat. Het voelde als een valstrik.

Ik was nergens in de voorhoede. De aftrap was rottig en zelfs als dat niet het geval was geweest, dan ging ik toch niet voluit. Aan de andere kant trapte Seanie ze er achter elkaar in. Ik ben een slechte verliezer en begon te vitten op een paar van onze verdedigers. Ik kreeg daarop het gebruikelijke antwoord: "Hou je kop en maak een paar doelpunten!" Ik begon terug te lopen naar de middenlijn en probeerde aan de bal te komen. Hoe dichter ik bij Seanie kwam, hoe meer ik in de verleiding kwam hem te grazen te nemen.

Eindelijk kreeg ik mijn kans. Hij kwam van links aanzeilen en trapte de bal te ver voor zich uit. Ik schoof naar voren met mijn goede been en haalde hem onderuit. Hij bleef liggen en greep naar zijn scheen. Ik keek instinctief rond op zoek naar Mahoney. Geen spoor van hem. Ik had, voor de verandering, eens geluk. Van achter me hoorde ik een stem mompelen: "Dat was niet nodig, OD. Hij is onze beste speler."

Ik draaide me met een ruk om om te zien wie dat gezegd had, maar besliste dan snel dat ik mezelf al genoeg voor schut had gezet. Seanie stond op en het bloed drong door zijn anders perfect witte kousen. Het had niet langer de schijn van een krachtmeting. Mijn strijdlust was weg.

"Kunnen we praten, OD?"

Dat was het laatste wat ik van Seanie verwachtte.

"Waarover?" zei ik. "Wil je een paar tips over hoe je Nance moet aanpakken?"

"Je zit er helemaal naast wat betreft mij en Nance," hield hij vol. "Daarover wil ik het trouwens helemaal niet hebben. Het gaat over dat baantje in het park... Je verdoet je tijd daar."

"Het gaat je niks aan wat ik met mijn tijd doe."

"Ga daar weg voor het te laat is, OD."

Ik was zo opgefokt dat ik mezelf niet eens de juiste vragen begon te stellen. Zoals: vanwaar die plotselinge interesse in mijn toekomst? Iedere dwaas kon deze een en een en een bij elkaar optellen, en drie krijgen. Morans bezoek aan het park toen hij goed genoeg wist dat Snipe er niet zou zijn, Snipes bezorgdheid over de twee landmeters, Seanies enorme hint. Iedere dwaas, behalve ik.

Nance

Wat er in de volgende weken gebeurde, kan ik alleen maar beschrijven als een rit in de achtbaan, dan weer stoppend, dan weer voortsnellend. Ik ging helemaal naar boven, roetsjte naar beneden, en dan werd het beeld stilgezet. Dagenlang gebeurde er niets en dan vloog ik weer. En al die tijd had ik dat gevoel van opgewonden paniek, maar niet op de prettige manier van de kermis.

Thuis werd de sfeer ondraaglijk. In de eerste plaats leek het erop dat Tom en May het er afzonderlijk over eens waren geworden dat het zijn schuld was. May vertelde me telkens weer dat Tom me nooit het gevoel had willen geven dat ik moest leven volgens een onmogelijk hoge norm die hij voor me had gesteld. Ze zei het zo vaak dat ik me begon af te vragen of ze zichzelf, en niet mij, probeerde te overtuigen.

"Je moet niet bang zijn om de waarheid te zeggen," zei ze gewoonlijk, "Tom zal het begrijpen."

Tom zei iets dat daar veel op leek, maar hij was er een beetje halfslachtig over. Het leek wel of hij het alleen maar deed uit plichtsgevoel.

"Ik ben bereid om toe te geven dat ik je te veel onder druk heb gezet, Nance, maar dat was niet mijn bedoeling," zei hij dan. "Konden we er maar eens over praten..."

Langzamerhand begon er toch wat te veranderen, bij beiden. Terwijl het erop leek dat zijzelf steeds verder uit elkaar groeiden, kwam hun eigen strategie meer naar buiten. May trok zich ook van mij steeds meer terug en sprak ten slotte nog nauwelijks met me. Ze wierp zich volledig op haar schilderijen en op het maken van sieraden.

Tom stond, grappig genoeg, dichter bij me in die weken. Maar het was een soort nabijheid die ik niet wilde. Het was alsof je een klein broertje hebt dat constant om je heen hangt net als jij alleen wilt zijn. May probeerde niet meer, maar Tom probeerde te veel.

Hij begon me aan te moedigen om naar de film of zelfs naar disco's te gaan, soms zelfs midden in de week. Dat was niet zijn gewone stijl. Hij had er nooit bezwaar tegen gehad dat ik uitging, maar je voelde vaak een lichte afkeuring als hij in het verleden het geld voor zulke dingen overhandigde. Misschien had het iets te maken met OD en Seanie, maar nu kreeg ik een vijfje en was hij een en al smile. Ik weigerde ieder aanbod en zei ten slotte tegen hem dat hij me met rust moest laten. Hij werd er niet eens kwaad over. Ik veronderstel dat hij zich te verslagen voelde.

"Ik heb gefaald, Nance," zei hij. "Ik heb gefaald."

Als het mijn bedoeling was geweest om hem op zijn knieën te krijgen, dan was het gelukt. In plaats van wroeging te voelen, werd ik nog bozer. Het was een boosheid die zich op een zielige manier uitte: met de deuren slaan, stom gekibbel over kleinigheden. Op het eind vond mijn woede een gelijke, niet in Tom, maar in May.

Tom had zijn specialiteit, lasagne, klaargemaakt voor het avondeten. Ik duwde mijn bord weg en vertelde hem wrevelig dat ik geen dolle-koeienziekte wilde krijgen van het gehakt dat erin zat. Ik wist natuurlijk dat hij altijd lamsgehakt gebruikt, waarvan verondersteld werd dat het veilig was, maar dolle-koeienziekte was het eerste wat me te binnen schoot.

May was zout aan het strooien op haar bord en ze zette het zoutvaatje met een klap op tafel. Het was zo'n klein glazen dinge-tje; als kind had ik het versierd met kleine schelpjes uit een knut-seldoos die ik had gekregen met Kerstmis. De kleine vormpjes die ik ooit zo mooi gevonden had en die al die jaren overleefd hadden, vielen eraf en rolden over de tafel. Ze sprak pas toen de laatste gestopt was met heen en weer draaien en onze ogen elkaar troffen.

Toen de woorden eindelijk kwamen scheelde het een decibel of ze was aan het schreeuwen.

"We hebben dit allemaal geaccepteerd, Nance," zei ze, "we hebben geprobeerd om redelijk te zijn, maar je behandelt ons als oud vuil. Je denkt dat je ongestraft kunt blijven voor al je rottigheid en door kan gaan als een..."

"May..." zei Tom, die probeerde de stortvloed te stoppen. Ze legde hem het zwijgen op met een blik die dicht bij haat lag.

"Het moet gezegd worden. Je vernietigt ons, Nance, je..."

"May," smeekte hij, "doe het niet. Geef haar niet de schuld."

Ze hadden zich nu bijna openlijk tegen elkaar gekeerd en ik kon er niet tegen. Ik riep: "Stop! Ik ga weer naar school! Wat willen jullie nog meer?"

Ze werden stil en terwijl ik daar stond, besefte ik wat een enorme macht ik over ze had. Het was een macht die veel groter was dan die welke zij ooit over mij hadden gehad. Het was een macht die ik niet wilde, maar ik kon er niets aan doen.

Ik kon mezelf er niet toe brengen om ze te verlossen van hun pijn. Ik kon hen de waarheid niet toevertrouwen omdat ik er niet zeker van kon zijn dat ze Heather Kelly niet zouden waarschuwen als ze eenmaal wisten dat ik haar wilde ontmoeten.

Ik ging naar mijn kamer en pakte het boek voor Europese geschiedenis, met de frisse weke geur, en op de kaft het stempel: 'Specimen'. Al mijn boeken waren nu kopieën.

Het vreemde was dat ik weer was begonnen met leren. Ik vond dat het op de een of andere manier mijn gedachten kalmeerde, vooral toen de teleurstellingen kwamen tijdens de zoektocht naar Heather. Ik kon ook niet aan OD denken en hem vergelijken met Seanie. Die vergelijkingen leidden alleen maar tot meer schuldgevoelens, schuldgevoelens omdat ik Seanie aan het lijntje hield, terwijl ik wist dat ik voor hem nooit zou voelen wat ik voelde voor

OD. Wat die schuldgevoelens zo ondraaglijk maakte, was het feit dat Seanie zo'n leuke jongen was. Hij zou alles voor me hebben gedaan en hij was nooit uit op een vorm van... nou ja, beloning of zoiets. Zo was hij gewoon niet. Misschien komt het wel door het simpele, onaangename feit dat 'leuk' hoe dan ook nogal saai is. Als ik nu terugdenk aan alle veronderstellingen die ik toen over hem had moet ik bijna lachen om mezelf.

Het verhaal van onze zoektocht naar Heather Kelly is even chaotisch en kluchtig als al het andere wat in die tijd gebeurde. Het begon, zoals we hadden gepland, met Seanies telefoontje naar de oude priester, Vader O'Brien, de woensdag dat hij terug zou zijn van zijn bijeenkomst in Engeland.

Om de een of andere reden was Seanie niet langsgekomen om me te zien op de terugweg van de training op dinsdagavond. Ik vroeg me af of hij van gedachten veranderd was om me te helpen. De volgende dag liep hij over van verontschuldigingen en zei hij dat hij Vader O'Brien om zeven uur zou bellen. Om vijf over zeven zat ik te wachten naast de telefoon thuis en hoopte dat Tom of May me niet zouden vinden terwijl ik daar rondhing of dat ze zouden horen wat er aan de hand was. Ik moest vijf minuten wachten, maar het leken wel vijf uren. Ik nam de telefoon op voordat hij voor de tweede keer ging.

"Seanie?"

"Ja, ik heb hem gesproken," zei hij.

"En?"

"Hij was een beetje in de war. Hij scheen te denken dat Tom getrouwd was met Heather Kelly," legde Seanie uit. "Misschien bracht ik hem in het begin in de war. Toen ik May noemde, herinnerde hij het zich weer."

"Weet hij waar Heather is?"

"Nee, maar hij weet zeker dat haar vader een apotheek had in

92

Limerick. In de stad, dacht hij."

Ik werd er bibberig van. Ik kon niets bedenken om te zeggen. Even leek het erop dat het gemakkelijk zou gaan. Te gemakkelijk.

"Het probleem is dat ik in het telefoonboek heb gekeken," zei Seanie, "en er is geen apotheek op naam van Kelly in Limerick."

Ik stortte weer van boven naar beneden.

"Tenzij ze de zaak hebben verkocht," suggereerde hij. "We kunnen zaterdagochtend naar Limerick gaan en daar wat rondvragen. Misschien dat een van de andere apothekers zich iets kan herinneren."

Ik kon Seanie nog niet laten gaan. Hoe kon ik naar Limerick, behalve dan in zijn groene Morris Minor? Dus zaterdagochtend vroeg waren we op weg. Seanie moest om halfdrie terug zijn voor een bekerwedstrijd.

Die ochtend was hij heel openhartig tegen me over zijn toekomst. Hij had zijn twijfels over boekhouding en hij sprak er hartstochtelijk over hoe hij altijd medicijnen had willen doen. Jammer genoeg was ik hypernerveus, al probeerde ik wel om hem aan te moedigen.

Toen hij er concreter over begon waarom hij dokter wilde worden, werd ik woest.

"Wat ik zou willen, is werken in de Derde Wereld," zei hij, "helpen bij..."

"De kleine negertjes," snauwde ik, boos dat Seanie ook een van die bemoeizuchtige weldoeners bleek te zijn. Ik verdacht hem ervan dat hij mij, de verloren zwarte ziel, alleen maar hielp als een oefening voor het echte werk.

"Nance, het heeft niks te maken met hun... hun huidskleur."

"Ik ben gewoon nerveus," vertelde ik hem. Ik wenste dat hij van onderwerp zou veranderen, maar hij wilde het rechtzetten.

"Pa zegt dat hongersnood en dat soort dingen een natuurlijke manier zijn om de populatie te regelen," legde hij uit. "Maar ik kan niet begrijpen hoe je gelukkig kunt zijn als andere mensen sterven van de honger en door gebrek aan schoon water en eenvoudige medicijnen. Ik zie daar de zin niet van in."

De vreemde benaming 'Derde Wereld' - zo sprookjesachtig, sciencefiction-achtig - zorgde er alleen maar voor dat het gevoel dat ik hier niet echt thuishoorde, zich verdiepte. Mijn leven hier was hetzelfde als dat van ieder ander: zelfde school, zelfde berichten, zelfde dagelijkse routine. Maar had ik uiteindelijk meer gemeen met de mensen in die andere wereld? Zou het leven daar beter voor me zijn? Eenvoudiger, moeilijker zeker, maar het leven dat ik diende te leven? Er waren geen gemakkelijke antwoorden op die vragen. Geen zwart-witte antwoorden, dacht ik, maar ik kon zelfs niet glimlachen om mijn eigen grapje.

We hadden nu de buitenwijken van Limerick bereikt. In de stilte die alleen werd opgevuld door de zachte muziek van een Oasis-cassette, keek ik uit naar de naam 'Kelly' boven winkeldeuren en probeerde te vergeten wat ik had gezegd.

Eindelijk zei hij, haast fluisterend: "Misschien heb je gelijk, misschien moet ik bij boekhouden blijven."

"Doe wat jij wilt, Seanie," zei ik. "Vergeet je vader... en mij."

"Dat kan ik niet."

Ik vroeg niet of hij zijn vader niet kon vergeten, of mij.

Seanie had een lijst van apotheken en we besloten om ze te verdelen. Ik nam die in het stadscentrum en hij zou naar de andere rijden die verder weg waren. Het werd een lange, frustrerende ochtend. Ik had de hoop al min of meer opgegeven toen ik, om tien voor een, in een van de weinige apotheken kwam die niet gemoderniseerd waren.

De oude vloertegels, met het embleem van een slang die zich rond een vijzel kronkelt, waren vervaagd door jarenlang gebruik.

Achter de hoge, met donker hout betimmerde toonbank stonden kasten met kleine, smalle laatjes, en op elk ervan zat een porseleinen plaatje met een latijnse naam in slanke, zwarte, gotische letters. Tussen de opzichtige doosjes hoofdpijnpillen en pleisters stond een hele rij ouderwetse medicijnflesjes in alle maten en kleuren en aparte, maar toch mooie vormen.

Het rinkelen van een klein belletje boven de deur was nog steeds te horen, toen een lange, grijsharige, oude man met een licht gebogen houding opdook vanachter een houten gedeelte van de toonbank.

Toen hij me vroeg of hij me kon helpen, had ik direct het gevoel dat ik op de juiste plaats was. Ik dacht dat ik een soort verklaring nodig had om Heather te willen vinden en terwijl ik daar stond kwam er een verhaal in me op. Ik was een feestje aan het organiseren voor mijn ouders die eenentwintig jaar getrouwd waren en ik wilde daar al hun oude vrienden voor samenbrengen. De man - meneer Carroll, 'maar zeg maar Michael' - leunde over de toonbank en luisterde toen ik mijn leugen opsmukte met waarheden en halve waarheden. Hij moet zich afgevraagd hebben waarom ik zoveel praatte. Ik vroeg het me zelf ook af.

"We waren vroeger goede vrienden, John Kelly en ik," zei hij toen ik eindelijk pauzeerde om adem te halen. "Is het niet verschrikkelijk hoe mensen elkaar uit het oog verliezen?"

"Dus dan weet u niet waar hij nu is?" vroeg ik moedeloos. "Of Heather?"

Of hij zich nu probeerde te herinneren waarheen de Kelly's verhuisd waren, of dat hij alleen maar terugdacht aan de goede oude tijd toen hij en Heathers vader nog jong waren, wist ik niet. Maar hij nam zijn tijd om te antwoorden.

"Het moet, zeg maar, twintig jaar geleden zijn dat John Limerick verlaten heeft. Weet je, zijn vrouw, Nora - een lieve, lieve vrouw - wel, ze was gestorven en hij is daarna nooit meer dezelfde geworden. Hij verkocht de zaak en ging in Dublin wonen en drie, of was het vier jaar geleden, verhuisde hij naar Engeland, naar Nottingham. Daar woont zijn dochter, vandaar."

"Heather?"

"Nee, nee, nu breng ik je in de war, het spijt me," glimlachte Michael. "Er waren twee dochters. Celia was de oudste en ze trouwde daarginds. Wat Heather betreft, het laatste wat ik van haar hoorde was dat ze lesgaf, ergens buiten Galway. Dat moet geweest zijn nadat ze is teruggekomen uit Afrika, begin jaren tachtig, denk ik."

"Maar u weet niet precies waar?"

"Ik ben bang van niet, maar ik kan er wel achterkomen. Natuurlijk moet ik dat doen, het is zo fijn wat je voor je moeder en vader doet."

Ik kromp in elkaar bij het idee dat ik zo had gelogen tegen deze aardige man.

"Laat je een telefoonnummer achter?" vroeg hij. "Ik bel je op als ik iets weet."

Dat deed ik. Ik bedankte hem en vertrok met een zure smaak in mijn mond, maar toen ik me terughaastte naar de parkeerplaats om Seanie te ontmoeten, veranderde die afkeer van mezelf in een gevoel van verwachting. Eindelijk bereikte ik iets.

In de volgende tien dagen stelden we een nieuwe lijst samen, nu van scholen in het graafschap Galway, en begonnen we te telefoneren. De lunchpauze brachten we meestal door met het draaien van nummer na nummer. Toen, de vrijdag nadat we in Limerick waren geweest, sloeg de bliksem in, tot twee keer toe.

Ik had twee scholen geprobeerd en tikte, in de tochtige, stinkende telefooncel, het nummer in voor nog een andere. Het was een rijksschool in een plaatsje genaamd Sherrivy. De verbinding was erg slecht en om het nog erger te maken klonken er gillende echo's van kinderstemmen op de achtergrond.

"Heather Kelly," herhaalde ik. De mannenstem die antwoordde klonk alsof hij van de bodem van een ton kwam.

"Mevrouw Kelly? Ik zal haar voor u halen."

Ik gooide de hoorn neer en beefde van angst. De hoorn lag al op de haak toen ik dom "Nee!" zei.

Seanie kon van vijftig meter afstand zien dat er iets aan de hand was, toen ik de schoolpoort binnenkwam. Hij probeerde niet te rennen toen hij zich naar me toe haastte, dwars door de massa heen die terug naar de klassen ging.

"Sherrivy," zei ik. "Ze zit in een plaatsje dat Sherrivy heet. Ik vergat te vragen waar het precies ligt."

"We zullen het wel vinden," zei hij.

Om acht uur die avond belde Michael Carroll. Hij had Heather niet kunnen vinden, zei hij, maar hij gaf me het telefoonnummer van haar zus. Ik schreef het op, hoewel het er nu niet meer toe leek te doen. Ik bedankte hem nog eens voor de moeite.

"Ik hoop dat je haar vindt, voor je ouders," zei hij, "het zou een enorme verrassing voor ze zijn."

Ik zei dat dat zo was. Toen hij had neergelegd ging ik terug naar mijn wiskundeproblemen, waar ik helemaal in opging. Ik vertelde niets aan Seanie over het telefoontje.

De woensdag daarna vertrokken we naar Galway. Hij stond erop, ondanks al mijn protesten, om een dag vrij te nemen. We hadden kunnen wachten tot de week daarna, als we een korte vakantie van drie dagen zouden hebben, maar hij wilde er niet van horen. Toen we de stad uitreden, zei hij mysterieus: "Ik heb het hem verteld."

Om de een of andere reden schoot OD's naam door mijn hoofd.

"Wat heb je verteld en aan wie?" vroeg ik wantrouwig.

"Pa. Ik heb hem gezegd dat ik medicijnen ga doen," zei hij, "en ik heb hem... nog een paar andere dingen verteld... over mezelf."

Ik was echt blij voor hem en had het gevoel dat ik iets terug had gedaan in ruil voor zijn bezorgdheid om mij.

"Dat is fantastisch," zei ik. "Hoe nam hij het op?"

"Ik geloof niet dat hij me nog erg mag."

Hij werd even stil. Toen duwde hij een cassette in de recorder. Door de auto knalde een kakofonie van onmiskenbaar Afrikaanse muziek. Een opzwepend ritme, zware trommelslagen met een bas die me de rillingen bezorgde.

"Wat is het?" vroeg ik.

"Het komt uit Kenia," legde hij uit. "Ik heb het vorig jaar in Dublin gekocht."

Ik ging helemaal op in het hypnotiserende ritme en vroeg me af waarom het nooit bij me op was gekomen iets op te zoeken over de muziek uit mijn geboorteland. We luisterden er telkens opnieuw naar en Seanie trommelde op het stuur, op een enthousiaste manier, bekend met iedere wending in het ritme.

De school in Sherrivy, ongeveer vijfentwintig kilometer buiten de stad Galway, was zo'n oud gebouw in grijze steen. De ramen waren langwerpig en er was een kleine, stenen plaat waar het jaar '1908' in was gebeiteld. Opeens kreeg ik een raar gevoel in mijn maag. Hij voelde opeens zo leeg dat ik me kon voorstellen wat echte hongersnood was: zo'n hopeloze leegte dat je niet meer verwachtte dat ze nog gevuld zou worden.

"Ik kan niet naar binnen," zei ik. Ik trok mijn hand niet eens terug toen Seanie hem pakte.

"Ik zal gaan," zei hij.

Hij ging de school binnen en buiten in minder dan vijf minuten tijd. Hij plofte neer in de auto. Ik raakte in paniek.

"Ze wil me niet zien!" riep ik.

"Nance, er werkt daar wel een mevrouw Kelly, alleen heet ze geen Heather, maar Helen."

"Het spijt me," mompelde ik troosteloos. "Het was een slechte verbinding, ik..."

"Maar het is wel zo dat ze Heather Kelly een jaar of tien geleden heeft gekend."

Ik leefde weer op.

"Heather geeft geen les meer," vertelde hij, "ze is nu bibliothecaresse. Ergens in de Midlands."

Als dit een zoektocht was naar een naald in een hooiberg, dan werd de hooiberg groter. Maar Seanie stelde me alweer gerust. Helen Kelly zou eens rondbellen en navraag doen naar Heather. Ze had Seanies telefoonnummer.

"Dit wordt te gek, Seanie," zei ik, "je hebt belangrijker dingen aan je hoofd. We houden er gewoon mee op."

"Ik doe alles voor je, Nance," zei hij, "je bent... je bent een goede vriendin."

Hij sprak alsof hij nog nooit eerder een vriend of vriendin had gehad, goed of slecht. Maar ik was geen goede vriendin. Ik hield nog steeds dingen achter. Ik kon mezelf er niet eens toe brengen hem te vertellen over Michael Carrolls telefoontje. Ik moest dat geheim, ieder geheim, hebben om te bewijzen dat er een onoverbrugbare afstand tussen ons was.

De hele weg naar huis speelden we de Keniaanse muziek. Het grootste deel van de tijd probeerde ik te bedenken wat ik tegen hem zou zeggen als we in de stad aankwamen. Ik had hem bijna gezegd dat ik hem niet meer wilde zien, maar, uiteindelijk, kon ik het niet. Alles wat ik zei was: "Je moet je niet zo druk maken om mij. Ik ben het niet waard."

"Doe niet zo raar," zei hij. Hij pakte het bandje, deed het in het doosje en wilde het aan mij geven.

"Ik kan het niet aannemen," zei ik.

"Alsjeblieft, Nance."

Ik kon niet weigeren. Ik boog me naar hem toe en kuste hem op de wang. Hij keek me aan - alsof hij wist dat het een verkeerd soort kus was - zoals Christus naar Judas keek, denk ik.

Ik had Tom en May verteld dat we naar de universiteit in Galway gingen en dat Seanie er iemand van de medische faculteit zou treffen. Tom dacht dat het wel eens goed was voor de verandering, nu ik weer aan het studeren was. May had niks gezegd. We waren echt kilometers van elkaar verwijderd in die tijd.

Toen ik thuiskwam waren ze allebei weg. Ik belde Celia Kelly, mijn tante.

Het werd me al snel duidelijk dat Celia haar zus niet erg mocht. Haar toon was smalend en ze deed zelfs geen moeite om te vragen wie ik was.

"Ik heb niks meer van Heather gezien of gehoord," verklaarde ze met een zwaar accent, "sinds ze terug is uit Afrika."

De woorden 'Heather' en 'Afrika' sprak ze met dezelfde weerzin uit. Toen hing ze op, zomaar. Ik stond paf. Heather, zo scheen ze te suggereren, had in Afrika een misstap begaan. Ik was het resultaat van die misstap en dat er zo over me gedacht werd maakte me razend. Ik had zin om die vrouw terug te bellen en haar te vertellen wat ik van haar dacht, maar Tom kwam thuis en redde me, zonder het te weten, van mezelf. Ik slaagde er zelfs in om over koetjes en kalfjes te praten met hem. Ondanks al zijn fouten zag hij me niet op die misselijkmakende manier.

Aan het eind van de week daarop wilde Seanie Helen Kelly in Sherrivy bellen om te horen of ze al iets wist. Ik stribbelde tegen en bedacht allerlei uitvluchten, maar de echte reden was zelfs voor hem duidelijk, denk ik. Pijn. De pijn van steeds dichter naar Heather toegetrokken te worden, was als vliegen in de zon. Het verblindde me, verbrandde me.

En iedere nacht van die week kwam de droom weer spoken. De donkere schuilplaats, de harde stemmen, de enorme knal die me badend in het zweet en bang om weer te gaan slapen achterliet.

Toen, die vrijdag, eindigde de hele klucht. Helen Kelly belde Seanie. Seanie belde mij.

"Ze is in Waterford!" riep hij uit. "In de stadsbibliotheek. Ik zei toch dat we haar zouden vinden!"

Hij had de bibliotheek al gebeld en gevraagd of ze de volgende ochtend zou werken. Dat was zo.

"Ik kom je om negen uur halen," zei hij. "Nance, ben je daar nog?"

We hadden wekenlang rondgereden en gebeld door het hele land en dan is ze al die tijd op niet meer dan een uurtje met de auto bij ons vandaan.

"Nance?"

"Ja, negen uur is goed," zei ik, "en bedankt, Seanie... voor alles."

"Jij ook."

Ik legde de hoorn neer en ik dacht: OD, waarom kun je niet zijn zoals Seanie?

OD

Het ging van kwaad naar erger. Het leek wel een gedicht van Yeats dat we ooit op school hadden behandeld: 'Things fall apart, the centre cannot hold'. Alles valt uit elkaar, het middelpunt kan het niet houden. En het ging niet alleen om mezelf en de situatie met Nance. Het waren ook Jimmy en Beano en mijn slechte knie en zelfs het park, waar ik me eigenlijk niets van aan zou moeten trekken, maar ik deed het toch. Meer dan ik me had kunnen voorstellen.

Bij Jimmy ging het 'uit elkaar vallen' langzaam, maar ik hield hem beter dan ooit in de gaten en dus merkte ik meer.

Als zijn fantasie vroeger met hem op de loop ging, dan schommelde zijn humeur fel. Het ene moment was hij uitbundig, het volgende moment was hij aan het schreeuwen en dan zat hij weer stilletjes in een hoekje met draaiende ogen van het bier.

Deze keer was er geen sprake van bier of geschreeuw of uitbundigheid. Hij werd alleen maar zwakker en langzamer. Iedere beweging kostte hem moeite. Soms, als hij aanstalten maakte om op te staan uit zijn stoel, om thee te zetten of zo, was het net of je zat te kijken naar een trapezewerker die zich klaarmaakte om te springen. Ik hield mijn adem in en verwachtte dat hij zou vallen of terugzakken. Hij werd langzaam, maar toch zakte hij nooit terug. Het duurde soms vijf minuten voordat hij rechtstond, maar het lukte hem altijd. Af en toe vroeg ik hem wat hij wilde, omdat het me te veel werd om hem zo te zien.

Toen ik de bebloede zakdoekjes weer zag verschijnen, kon ik er niet meer tegen.

"Haal die rottanden eruit, wil je," ging ik tekeer, "of ga naar de tandarts."

De manier waarop hij naar me keek ging me door merg en been. Ik denk niet dat hij het zo bedoelde. Het was een blik die zei, 'niets kan me nog raken' en het had veel weg van een glimlach.

Een paar dagen later kwam ik thuis van mijn werk. Hij stond in het midden van de kamer alsof hij er geen idee van had waar hij was. Hij zwaaide een beetje heen en weer, maar ik rook geen alcohol, alleen maar die neplavendel die ik zelfs rook als ik niet in huis was. Voor de eerste keer voelde ik angst om hem.

"Ik ben een beetje duizelig," probeerde hij uit te leggen. "Als je lang blijft zitten en je staat op, dan kan dat gebeuren. Wist je dat?"

Ik zette hem neer en maakte een lunch voor hem klaar met het brood en de cornedbeef die ik had gekocht, maar toen ik 's avonds thuiskwam, was hij niet in de keuken zoals gewoonlijk. Ik ging naar boven. Zijn deur was gesloten, maar ik wist dat hij daarbinnen was. Ik was net weer op weg naar de keuken met mijn boek over Dylan Thomas, toen het leek of ik hem naar adem hoorde snakken.

Zijn bed stond bij het raam. Op de vensterbank stond de sombrero te trillen alsof hij pijn leed, omdat hij heen en weer tolde door de tocht die binnenkwam via de barst in het raam. Jimmy lag op bed, dubbelgevouwen, met zijn armen om zijn maag geklemd.

Ik kon de woorden nauwelijks uitbrengen.

"Wat is er, Jimmy?"

"De cornedbeef," kreunde hij, "ik denk dat het de cornedbeef geweest is."

"Ik heb hetzelfde gegeten als jij," protesteerde ik, "en met mij is alles in orde."

"Ik wilde jou de schuld niet geven, OD. Maar ik heb nooit tegen dat spul gekund. Dat had ik moeten zeggen."

"Heb je er iets voor genomen?"

"Ik zal flink zijn," mompelde hij, "het gaat wel weer over."

Ik ging naar beneden en probeerde in mijn boek over Dylan Thomas te lezen. Ik begreep niets van de woorden op de bladzijde. Toen herinnerde ik me wat hij net gezegd had: "Het gaat wel weer over." Wat alleen maar kon betekenen dat het al eerder was gebeurd.

Het een of andere instinct leidde me naar buiten, naar de achterkant van het huis, waar de zwarte plastic vuilniszak stond. Helemaal bovenop lagen de twee boterhammen die ik bij de lunch voor hem had klaargemaakt, zonder dat er maar een hapje van een van beide was genomen.

Hierdoor kwamen mijn gedachten weer terecht in zo'n maffe, zichzelf achtervolgende kronkel. In plaats van het hem onder zijn neus te wrijven, wond ik me op. Ik bedacht dat als dit alles was wat ik kreeg omdat ik voor hem zorgde - hij gooide mijn eten gewoon in de vuilnisbak - dat ik me dan helemaal niks meer van hem aan zou trekken. Waarschijnlijk dacht ik dat het ontwenningsverschijnselen waren omdat hij niet meer dronk of dat zijn tandvlees weer opspeelde. Of misschien kwam ik nooit over het gevoel heen dat ik mijn tijd verspilde door te proberen hem goed te behandelen. Het was een van de twee en ik liet het voor wat het was. Van alle fouten die ik in die tijd heb gemaakt, was dat waarschijnlijk de ergste.

De waarheid is dat ik me meer zorgen maakte over Beano. Ik had hem niet meer gezien sinds die avond in de Galtee Lounge, en toen de dagen weken werden, werd ik haast gek van bezorgdheid. Hij bleef namelijk nooit weg van zijn werk. Al liep hij te slapen, dan nog zou hij klokken.

Beano kwam eindelijk terug. Op de dinsdag van onze laatste week daar. Alles was min of meer af. Snipe had alleen voor de zekerheid nog een van Mick Morans graafmachines laten komen.

Ik denk dat hij er alleen een paar rondjes mee wilde rijden om ons te laten zien wat een specialist hij was met de graafemmer. Ik had er niks mee ingezeten om ook eens een rondje te rijden, maar hij wilde er niet van horen.

Het eerste wat me opviel aan Beano was dat hij mank liep. Het tweede was dat hij een paar laarzen aanhad die twee maten te groot voor hem waren. Ongetwijfeld van Snipe. Zodra hij bij me in de buurt kwam, zag ik hoe ellendig hij eruitzag. Echt zo ellendig dat ik het verhaal over de griep haast zou geloven, als hij niet had gehinkt.

Zijn ogen, die altijd rood waren, waren nu plasjes bloed. Zijn witte haar lag plat tegen zijn voorhoofd van het zweet. De kringen onder zijn ogen leken wel donkere vlekken. Ik voelde hoe mijn pijnlijke knie het onder me begaf.

"What's the story, morning glory*?" zei ik nonchalant.

Hij grijnsde me toe, in Jack Nicholsonstijl, ergens tussen de Joker in *Batman* en Mac in *One flew over the Cuckoo's Nest*, nadat Mac de schoktherapie heeft gehad in het gesticht. "Geen story, OD," zei hij, "alleen griep."

"Dan heb je zeker griep gehad in je enkel."

"Ik ben uit bed gevallen." Het klonk of hij iets herhaalde wat hij uit zijn hoofd had geleerd, maar niet goed begreep.

Ik troonde hem mee tot achter de fontein en liet hem zitten, uit het zicht van Snipes cabine. Toen Johnny Regan een beweging in onze richting maakte, waarschuwde ik hem met een woeste blik. Hij knipoogde naar Beano alsof ze samen een groot geheim hadden.

"Beano, heeft Regan je drugs gegeven?"

Hij ontweek mijn ogen. Dat dacht ik tenminste. Ik kon het niet met zekerheid zeggen. Zijn ogen schoten rond. Zijn lippen verdraaiden zich tot een soort glimlach.

"Veel drugs bij ons thuis, OD... meer pillen dan in een apotheek."

Ik schrok me dood.

"Heb je iets genomen?" vroeg ik. "Is het waar, Beano?"

"Welnee... niks," zei hij en stak zijn borst macho naar voren. "Hou je taai, Beano."

"Dat heeft Snipe gezegd, hè?"

Beano knikte. Ik vertelde hem dat als ik hem die ochtend zou zien werken, dat ik hem dan over mijn schouder naar huis zou dragen. Toen ging ik naar Snipes cabine. Onderweg greep ik Johnny in zijn kraag. Hij maakte zich uit de voeten toen ik hem waarschuwde: "Als ik je in de buurt van Beano zie, dan breek ik allebei je poten, Johnny, dat beloof ik je."

In de cabine deed Snipe niet eens moeite om de pagina met de race-uitslagen van de *Sun* te verbergen.

"Beano mag nog niet werken," zei ik tegen hem. "Hij is niks waard."

Tot mijn verbazing sprong hij niet eens over het bureau heen naar me toe.

"We zijn geen van allen iets waard," zei hij.

Toen hoorde ik de poort buiten opengaan. Die twee landmeters waren er weer met hun apparatuur.

"Wat zijn die verdomme van plan?" vroeg hij aan zichzelf, niet aan mij. "We zitten op schema, maar niemand schijnt daar nog in geïnteresseerd te zijn. En ze willen me niet vertellen wat die kerels van plan zijn."

Ergens in mijn achterhoofd kwam iets naar boven. Ik begreep het niet echt, maar ik zei het toch.

"Een paar weken geleden kwam Mick Moran hier aan toen we aan het afsluiten waren. Hij wilde hier in de cabine naar binnen en..."

Ik wilde zeggen dat Beano hem binnenliet.

"... en ik liet hem binnen."

Hij keek me aan of hij, langzaam, aan het hoofdrekenen was. Na een poosje kon ik zien dat hij niet het juiste antwoord vond, of toch geen antwoord dat hem aanstond. Hij trok zijn rugbydas recht en stond op.

"Smeer 'm, Ryan."

"Waar ga je naartoe?"

"Ik ga een bezoekje brengen aan de gemeentesecretaris," zei hij. "En als hij me niet wil ontvangen, dan trap ik zijn rottige deur in."

Snipe was scrum-half* geweest. Zo kwam hij aan zijn bijnaam. De scrum-half schoot van achter de scrum*. En nu zag hij er ook uit of hij dat ging doen: schieten met scherp. Hij stormde weg langs de voorkant van het park, de poort door.

Ik keek het park rond en voelde me, voor het eerst, echt trots op wat we hadden klaargespeeld. Er kwam een soort gloeiend, eenvoudig gevoel in me op. Toen ik weer aan het werk ging, zweefde ik weg uit de werkelijkheid als een kind met een nieuw stuk speelgoed. Het speelgoed, de illusie dat de afgelopen maanden op een bepaalde manier de moeite waard waren geweest, was de enige werkelijkheid die ik nodig had. Maar speelgoed gaat kapot. Hoe meer je ermee speelt, hoe sneller het stukgaat. Ik denk dat kinderen daarom met de doosjes spelen en het speelgoed bewaren om naar te kijken. Kinderen zijn verstandiger dan wij.

's Middags kreeg ik last van mijn knie. Ik wist dat ik niet zou kunnen trainen, maar hoe moest ik eronderuit komen? In deze fase stond onze ploeg onder druk. We waren aan het verzwakken en mijn conditie was bereslecht, net als die van Seanie. We waren uitgeschakeld voor de Beker en de week ervoor hadden we gelijkgespeeld tegen de laatstgeklasseerde ploeg, Hibs. Gelukkig voor ons had St. Peter ook een slechte beurt gemaakt en wij lagen een punt voor, met nog twee matchen te spelen. De andere ploegen slaagden erin om genoeg punten van elkaar af te pakken en de race om de titel over te laten aan St. Peter en ons. Ik had geen keus, ik moest gaan trainen. Ik hoopte dat Seanie er niet was, maar hij was er wel. Hij knikte naar me toen ik de kleedkamer binnenkwam. Ik draaide me om. Mahoney was er ook, hij was zijn oude shirt van de Boh's aan het aantrekken. Het paste hem nog steeds. Ik keek naar het grote nummer '10' toen ik die misselijkmakende ingeving kreeg.

"Ik kan vanavond niet trainen," zei ik tegen Mahoney.

"Ben je gekwetst of zo?"

"Nee, Jimmy is ziek... ik moet de dokter halen... ik wilde wachten tot na de training, maar ik... ik denk dat ik dat niet moet doen."

Toen zei ik tegen mezelf dat ik mijn mond moest houden, dat het al erg genoeg was dat ik Jimmy had gebruikt zonder er veel ophef over te maken. Maar de smoes, de rottige smoes, verrichtte wonderen. Mahoney was niet meer zo aardig tegen me geweest sinds ik een van zijn school-'beloften' was.

"Ik zal je even brengen, OD," zei hij. "Welke dokter is het?"

"Het gaat wel. Hij woont in onze straat. Dokter Corbett."

"Weet je het zeker? Mijn schoenen zijn zo uit, geen probleem."

"Toch bedankt," zei ik en verdween zo snel als ik kon uit de sokkenluchtjessfeer.

Onnodig te zeggen dat ik niet bij dokter Corbett langsging. Ik ging ook niet naar huis. Ik ging naar de Galtee Lounge. Mahoney stuurde een boodschap via een van de maats dat ik me geen zorgen moest maken over de training van donderdag of over mijn plaats in de ploeg. Ik deed het toch.

De zaterdag daarna koos hij me echt uit. Ik speelde goed en we

wonnen. Ik scoorde niet zelf, maar Seanie en ik bereidden een sco-
rekans voor een van de andere ploegmaats voor. Eventjes dachten
we dat Seanie niet zou komen opdagen voor die wedstrijd. Toen
hij vijf minuten voor tijd gehaast de kleedkamer binnenkwam, gaf
Mahoney hem het soort uitbrander dat hij gewoonlijk voor mij
reserveerde. Had iets te maken met Nance, vermoedde ik, maar ik
zorgde ervoor er verder niet over na te denken.

Ondertussen begon ik Jimmy ervan te verdenken dat hij op het
punt stond om op te geven. Er hing een afschuwelijke stilte om
hem heen als hij in zijn gehavende oude leunstoel zat, en die werd
alleen verbroken door het nu en dan openen en sluiten van zijn
handen.

"Waarom doe je dat toch steeds?" vroeg ik uiteindelijk.

"Spelden en naalden," zei hij, "ik heb het ook in mijn voeten."

"Kun je niet een wandelingetje gaan maken of zo?"

"Ik ben gaan wandelen... de vorige keer."

Ik dacht dat hij slim probeerde te zijn, tot hij zich bewoog in
zijn stoel en zich beverig naar voren boog. Toen wist ik dat er nog
iets kwam.

"Ja, ik ging een eindje wandelen... ik liep het Sound Centre
binnen."

"Waarom?"

"Ik zei tegen Murray dat ik... nou ja, aardig wat ponden ge-
spaard had, en of hij me de trompet wou geven, en dat ik de rest
over een paar weken zou brengen."

Ik zag hem voor me terwijl hij Murray smeekte. Mijn maag
keerde om.

"'In geen geval,' zei hij. Dat kleine rotzakje."

"Dat had je niet mogen doen."

In de kinderogen tussen de rimpels en de adertjes stonden tranen.

"Ik wilde net beginnen," zei hij.

Ik dacht dat ik het beter wist. "Je wilde net ophouden. Je wilde dat er een eind kwam aan die stomme droom van je en nu kun je Murray de schuld geven."

Hij gaf geen antwoord en daarom dacht ik dat ik gelijk had.

Daarna greep ik iedere kans aan om nog wat extra zout in de wonde te strooien. Hij hoefde maar een vinger te verroeren en ik zat erbovenop. Er ging geen dag voorbij zonder dat ik hem herinnerde aan zijn mislukkingen in de voorbije jaren. Ik praatte zelfs over wat hij mam had aangedaan. Daarvoor was ik niet in staat geweest om haar naam te noemen tegenover hem. Ik deed het nu wel omdat iedere nacht, als ik ophield met piekeren over al mijn andere problemen, steeds dezelfde vraag bij me opkwam: waarom kon ze niet gewoon schrijven? Ik wilde haar niet eens meer terug. Ik wilde alleen maar weten dat het goed met haar ging.

Niks van wat ik zei, raakte hem en daardoor was ik er nog meer van overtuigd dat het allemaal voorbij was voor hem, alweer.

Een week later of zo zat ik alleen in de keuken. Het was vrijdagavond, elf uur. Morgen was er weer een wedstrijd, weer een gevecht om mijn kwetsuur te verbergen voor Mahoney. Ik had de jongens op het terrein nog een aantal leugens op de mouw gespeld over Jimmy's 'ziekte' en laten doorschemeren dat ik misschien niet zou kunnen komen voor de wedstrijd, alleen maar om een beetje indruk te maken als ik toch zou verschijnen. Ik had de Galtee Lounge overgeslagen omdat ik zo goed mogelijk in vorm moest zijn voor de match. Ik was al eerder met Beano naar de snookerhal geweest. Hij was nog steeds niet uit zijn schulp gekropen en ik had al zo lang geen zinnetje meer gehoord van Jack Nicholson dat ik dacht dat hij van held veranderd was, of misschien voorgoed afzag van helden.

Ik had geen moeite gedaan om de tv aan te zetten en ik had

mijn boek over Dylan Thomas uit. Mijn eigen held, de dichter, was dood en ik kon de schoonheid en het vernuftige van wat hij geschreven had, niet rijmen met zijn akelige einde in een hotel in New York, niet ver van de plaats waar een andere held van me, John Lennon, werd doodgeschoten.

Ik zat in Jimmy's stoel en staarde naar de fles op de schoorsteenmantel. Het was zo'n enorme ginfles die daar altijd al had gestaan, sinds Jimmy hem had gewonnen bij een tombola in een pub en hem natuurlijk tot op de laatste druppel had leeggedronken.

Ik had de gordijnen niet dichtgetrokken of het licht aangedaan. Ik zat verdoofd in de vallende duisternis. De straatlantaarn buiten wierp zijn licht op de grote ginfles en gaf hem een vreemde gloed in de doodse kamer. Door de lange hals en de ronde vorm eronder zag hij eruit als een lange, indrukwekkende figuur. Een man die een plechtig ritueel leidde, als een priester. Een druïde, dacht ik.

Op de schoorsteenmantel, naast de fles zag ik een paar lege luciferdoosjes die daar waren blijven liggen toen Jimmy gestopt was met het opruimen van het huis. Rechtopstaande stenen, sommige waren gevallen, andere stonden nog overeind. Er ging een stroom van gespannen verwachting door me heen.

"De Glazen Druïde," zei ik hardop en keek bijna rond om te zien of er niemand was die me kon horen. Ik was er niet helemaal zeker van, maar ik dacht dat de 'Glazen Druïde' alcohol was. Als je dronk, was het alsof je hem een hand gaf.

"Hand in hand met de Glazen Druïde," zei ik tegen mezelf.

Om ons heen verschenen de rechtopstaande stenen, beelden die halflevend, halfdood waren. En toen zag ik hun gezichten. Nance, Jimmy, mam, Beano, zelfs Seanie, zelfs Mahoney... en ikzelf. Het visioen was even levendig en even onwerkelijk als iedere droom, maar ik was klaarwakker. Ik was meer dan dat. Mijn

111

denkvermogen stelde zich open alsof ik, voor één keer, alles begreep. Geen van deze steenmensen kon mij bereiken en ik kon hen niet bereiken. We waren allemaal alleen, hoe dicht we soms ook bij een ander konden komen. Maar ik was de enige dwaas die dacht dat de Glazen Druïde me kon helpen.

Hand in hand met de Glazen Druïde,
Roepende tot de staande stenen,
Kunnen de mannen en vrouwen niet met me spreken;
Stemmen als de mijne, zonder klank, zonder lied.

In het gele licht van de natriumlampen op straat, scharrelde ik rond in de keuken en vond een enveloppe en een potlood met een stompe punt. Ik schreef de vier regels op. Ik had geen tijd om het licht aan te doen, maar ik kon de woorden net onderscheiden op het bruine papier. Ik las het tien, twintig keer over. Ik leunde achterover. Mijn eerste gedicht. Ik voelde mij of ik even hard gloeide als de ginfles.

Ik las het gedicht een keer hardop en daarna nog eens. Plotseling besefte ik waarom ik het deed. Ik wilde dat deze woorden gehoord zouden worden. Ik wilde de krankzinnige logica uitleggen van de gedachten erachter. En toen besefte ik dat ik niet wilde dat zomaar iemand mijn gedicht zou horen. Alleen maar Nance.

Ik smeet de enveloppe tussen de koude as van gisteren in de haard. En toen liet ik me gaan. Ik huilde als een blèrende baby. De harde kerel, dichter, voetballer, slimmerik van de straat, brak ergens rond middernacht, in een stil huis ergens in een universum waarvan de ongelofelijk eenzame betekenis hem recht tussen de ogen had getroffen, als een geweer dat terugslaat.

Nance

Toen we de brede vierbaansbrug naar Waterford overgingen, wenste ik dat het de enige weg naar de stad was en dat hij in de rivier zou storten voordat wij er waren. Seanies Morris Minor reed langzaam verder toen de verkeerslichten het zaterdagochtendverkeer vertraagden. Nog wat langzamer en ik was eruit gesprongen en over de brug teruggelopen.

Net als bij onze expeditie naar Limerick moest Seanie 's middags terug zijn voor een match. Hij leek even nerveus als ik en we praatten niet veel. Als Seanie dacht dat ik stilte nodig had, dan had hij het bij het verkeerde eind. Het was het soort situatie waarin gekeuvel over het weer, het mooie bandje van de Beautiful South dat hij had meegebracht, zelfs over voetbal, me zou hebben verlost van de verwarrende vragen die me bezighielden.

Wat zou ik tegen Heather zeggen? Zou ze weigeren om me te erkennen? Zou een ontmoeting met haar ervoor zorgen dat ik me slechter dan ooit voelde?

De Beautiful South zong 'Everybody's talking' en zo klonk het ook in mijn hoofd.

"Wat een mooi bandje," zei ik, terwijl ik de innerlijke stemmen smoorde en wenste dat hij iets harders en lossers had meegenomen, Blur misschien of The Prodigy.

Zijn gedachten waren niet bij de muziek.

"Nance? Wat betreft jou en OD... wat ons betreft... er is iets wat ik wil ophelderen..."

"Daar praten we later over, goed? Als dit voorbij is," zei ik.

"Ik dacht net dat het beter zou zijn als..."

"Weet je zeker waar de bibliotheek is?" vroeg ik, terwijl ik nietsziend voor me uit keek.

113

"Ja, ik heb het nagekeken toen ik heb gebeld. We zullen op de terugweg praten, goed?"

Ik wenste dat de bibliotheek in zicht kwam en tegelijkertijd wenste ik dat het niet zo was. Seanie, die van de wijs was gebracht door mijn uitvluchten, sloeg een eenrichtingsstraat in en we sprongen allebei een paar centimeter omhoog toen een bus, luid toeterend en met knipperende lichten, in volle vaart op ons afkwam. De spanning was al eerder te snijden geweest en nu was dat helemaal het geval. Ik slaagde erin hem niet meer af te blaffen, maar ik wist dat ik het niet lang vol zou houden. Seanie voelde hetzelfde, denk ik toch.

We waren bij de bibliotheek en Seanie liet de koppeling los voordat hij de auto uit versnelling had gezet. Hij schokte naar voren, tot op een paar centimeter van de rode Mini die ervoor stond. Om de een of andere reden begon ik te lachen. Seanies doodongelukkige gezicht ontspande zich tot een glimlach en toen lachte hij even luid en paniekerig als ik.

"Wil je dat ik mee naar binnen ga?" vroeg hij toen we gekalmeerd waren.

"Ja."

Toen we bij de deur kwamen die toegang gaf tot de hoofdafdeling van de bibliotheek, zei ik: "Jij eerst."

Ik gebruikte hem als schild, tot het einde toe. Ik kon er niks aan doen.

Hij ging naar binnen en hield de deur voor me open. Er was niet meer dan een half dozijn mensen aanwezig, die liepen te snuffelen in de rekken. Achter de tafel achterin de zaal zaten twee vrouwen te kletsen. De een was bleek met donker haar. De andere was Heather Kelly. Van deze afstand was ze maar weinig veranderd sinds die foto was genomen, zoveel jaar geleden. Haar haar was korter, maar dat was het enige verschil. Zelfs de glimlach was dezelfde als de glimlach die op mijn netvlies stond gebrand.

"Ga niet naar buiten, Seanie," fluisterde ik toen ik over de drempel de uitleenafdeling binnenliep. Over de drempel van onschuld naar om het even wat aan de andere kant. "Wacht hier, wil je?"

"Tuurlijk. Het gaat vast goed."

Toen begon de lange wandeling. Ik worstelde om mijn ogen gericht te houden op de vrouw die me net had opgemerkt. Ondanks het lichte gevoel in mijn hoofd, zag ik de veranderingen die de jaren in haar gezicht hadden getekend, duidelijker worden met iedere stap die ik dichterbij kwam. Er kwam een vreemde gedachte kwam bij me op: dat mijn nadering haar ouder maakte.

Als ze geschokt was, dan verborg ze het goed. Ze zag er nogal kalm uit. Ik kwam bij de tafel. Nu het grote moment was aangebroken voelde mijn mond droog aan. Ik kon zelfs niet slikken.

Heather stond op en wenkte dat ik haar moest volgen. Ik keek om naar de deur waar Seanie nog steeds stond te wachten. Ik haalde mijn schouders op en wist niet wat ik moest doen. Hij gebaarde naar me dat ik met Heather mee moest gaan. Die was nu bij een deur gekomen waarop stond 'Alleen personeel'. Ze was al bijna binnen.

Toen ik binnenkwam, schepte ze koffie in een paar bekers. Op een ervan stond een groot, rood hart en het verkondigde brutaal 'I Luv U', de andere verklaarde onschuldig 'Forever Friends'.

"Ga zitten, Nance," zei ze. Mijn hart sloeg een slag over.

"Dank je," zei ik, of wilde dat zeggen. Ik weet niet zeker of de woorden er ook uitkwamen.

Dit verliep niet volgens plan. Als er een vreemde was binnengekomen, dan had hij nooit gedacht dat dit de hereniging was van een moeder en een kind, na zeventien lange jaren. Ik probeerde wat meer druk uit te oefenen op de situatie.

115

"Hoe wist je wie ik was?"

"Tja, ik kan niet zeggen dat je niet veranderd bent, niet?" glimlachte ze. "Misschien gewoon instinct."

Het klonk allemaal te luchthartig en te gemakkelijk. Ze vulde de bekers met water uit de ketel en kwam naast me zitten.

"Hoe gaat het met Tom en May?" vroeg ze vriendelijk.

"Uitstekend. Het gaat uitstekend met ze," zei ik en voelde me met ieder woord dat ze zei verwarder en meer verloren.

"Je verliest elkaar uit het oog, weet je. En het leven gaat door, hè?"

Ik kon er niet langer tegen dat we er zo omheen draaiden.

"Ben je mijn moeder?"

Eindelijk was ik erin geslaagd om haar door elkaar te schudden. Nu wachtte ik tot alles op zijn plaats zou vallen, iets wat al vijf minuten eerder had moeten gebeuren, volgens mij. In plaats daarvan ontplofte er een atoombom, met paddestoelvormige wolk en alles wat erbij hoort, die me van mijn stoel geslingerd zou hebben als mijn lichaam niet plotseling honderdduizend kilo had gewogen.

"Mijn God, Nance!" riep ze uit. "Hoe kom je daarbij?"

"Kijk," zei ik wanhopig, "ik weet dat je mijn moeder bent. Ik weet dat je tegen me zit te liegen. Vertel me alsjeblieft de waarheid en daarna zal ik je niet meer lastigvallen. Ik wil het je alleen maar horen zeggen dat je mijn moeder bent."

Ik hield de mouw van haar keurige witte bloes vast. Niet gewoon vasthouden, maar vastgrijpen, een handvol.

"Nance," zei ze zacht, "ik ben je moeder niet. Ik had het kunnen zijn. Je kunt eigenlijk zeggen dat ik het bijna was. Maar het heeft niet zo mogen zijn."

Het antwoord klonk te ingewikkeld en te ernstig om niet waar te zijn. En anders was ze een heel goede toneelspeelster.

"Ik was met Tom verloofd," zei ze, "op kerstavond 1978, om precies te zijn. Drie maanden later trouwde hij met May."

"Ik geloof je niet."

"Wat hebben ze tegen je gezegd?" vroeg ze.

Ik vertelde haar het oude verhaal over het ongeluk en dat ze me geadopteerd hadden. Toen ik dat deed, knikte ze, alsof ze ieder detail wilde bevestigen. Toen vertelde ik haar van de foto, dat zij me in haar armen hield, en van de man die achter haar stond.

"Chris," zei ze.

"Mijn vader?"

Ik had niet verwacht dat hij een Engels klinkende naam zou hebben. Ze aarzelde en knikte eindelijk.

"Chris Mburu. Hij was een Samburu. Zijn familie kwam oorspronkelijk uit het uiterste noorden, maar woonde al jaren in Nairobi," legde ze langzaam uit, alsof ze nog steeds niet zeker wist of ze me dit allemaal wel moest vertellen. "Het was een leuke vent. Heel opgewekt, ontspannen. Ook leraar, maar niet bij ons op school."

Heather begon op haar vingernagels te bijten. Haar gezicht, dat eerst zo open was geweest, leek plotseling bewolkt.

"Luister eens, ik had je eigenlijk helemaal niks over Chris mogen vertellen," zei ze, "dat kan ik niet doen. Je moet echt met ze praten."

"Dat kan ik niet."

"Nance, ik heb alle reden om Tom en May niet te mogen na... weet je... maar het is niet zo. Ik begrijp dat ze je alles hierover hadden moeten vertellen, maar het is niet gemakkelijk voor ze."

"En ik dan? Denk je dat het gemakkelijk is voor mij?" schreeuwde ik. "Vertel me alsjeblieft wie mijn moeder is... of was... of wat dan ook. Er stond nog een vrouw op de foto, is dat... was dat mijn moeder?"

117

Heather beet ongerust op haar nagels en haar ogen vermeden de mijne.

"Dat was een Amerikaanse. Ze kwamen gewoon langs, zij en haar vriend. We kenden ze niet echt, Nance, we wilden het niet. Ze deugden niet."

Ik zag dat ze zich meer dan ongemakkelijk voelde toen ze over het Amerikaanse stel praatte. Ze was bang, echt bang.

"Praat met Tom en May, Nance. Laat hen het verhaal afmaken. Zo hoort het," zei ze. "Ik heb er een hekel aan om te zeggen dat ik uit ervaring spreek, maar als je het niet doet, dan zul je er je hele leven spijt van hebben. Ik weet het omdat mijn eigen familie en ik uit elkaar zijn gegroeid. Het was niet helemaal mijn schuld, maar ik had het kunnen tegenhouden als ik mijn trots opzij had gezet."

Ik vertelde haar dat ik met haar zus had gesproken, dat ik de toon van afkeuring in Celia's stem had gehoord en dat ik dacht dat het iets met mij te maken had.

"Nance, mijn zus is zo'n afschuwelijk vroom mens en mijn fout, zoals zij dat zag, was om ondoordacht te trouwen... in haar woorden dan..."

Ze zat doodstil en sprak emotieloos.

"Na Kenia ging ik naar Saoedie-Arabië, maar dat is geen land voor vrouwen om te wonen, geloof me. De sluiers zijn al erg genoeg, maar je mag er zelfs geen auto rijden, kun je dat wel geloven! Ik hield het twee jaar uit en ging toen naar Tanzania. Daar heb ik John Duffy ontmoet. Vader John Duffy."

Nu kwamen we bij haar echte 'misstap'.

"We werden verliefd. Hij trad uit en we verhuisden naar Zimbabwe. In '84 kwamen we terug naar Ierland en mijn familie heeft sindsdien nooit meer met me gesproken. Laat dat jou niet overkomen, Nance."

"Dus je gaat me niets vertellen over die Amerikanen?"

Ze scheurde zich los van haar eigen pijnlijke herinneringen en pakte mijn hand.

"Dat kan ik niet doen. Alles wat ik kan zeggen, is dat er echt een ongeluk is gebeurd, Nance. Het spijt me. Zij zullen je de rest vertellen. Je moet het alleen vragen. Vraag het."

Mijn stoel kraste over de houten vloer en op de een of andere manier lukte het me om op te staan.

"Ik ben om één uur klaar," zei ze, "we zouden kunnen gaan lunchen."

"We moeten op tijd thuis zijn," zei ik tegen haar. Ik kon niet boos op haar blijven omdat ze alleen maar een stukje van de waarheid had verteld. "Seanie heeft een wedstrijd. Hij heeft me hierheen gebracht met de auto."

"Je vriend?"

"Een vriend," zei ik.

We kwamen bij de deur. Toen ik hem opende, zag ze Seanie aan de andere kant van de zaal.

"Leuke jongen," vond ze.

"Ja," zei ik.

"Bel je me nog?" vroeg ze. "Om me te vertellen hoe het is afgelopen?"

Ik knikte, maar ik dacht niet dat ik het zou doen.

Drie kilometer buiten Waterford draaide ik de autoradio uit en zei tegen Seanie dat ik het echt op prijs stelde wat hij voor me had gedaan, maar dat het niet verder ging dan dat. Er was geen sprake van ruzie, zelfs nauwelijks van een zuchtje spanning. Na een poosje zei hij: "Je hebt me niet verteld wat er daarbinnen is gebeurd."

Hij luisterde gespannen naar ieder detail. Toen ik uitgesproken was overwoog hij alles een minuut of twee.

"Ze heeft volkomen gelijk, weet je," zei hij. "Je moet er met hen over praten. Dat is de enige oplossing."

Ik kon niet geloven dat hij mijn verraad, de overduidelijke manier waarop ik hem had gebruikt en afgedankt, zomaar langs zich heen liet gaan. Ik vroeg me af of ik nog wel van iemand kon houden.

"Ik had je al eerder de waarheid over ons moeten vertellen, Seanie. En je niet moeten meeslepen. Je verdient beter."

"Ik verdien niks," zei hij bijna fluisterend, "ik ben zelf ook niet zo goed in de waarheid vertellen."

Hij hield zijn ogen op de weg.

"Ik heb nooit... ik heb nooit met mijn vader gepraat," bekende hij. "Al dat gedoe dat ik hem verteld had wat ik echt wilde, was alleen maar... fantasie."

Daarna waren we stil. De reis leek een eeuwigheid te duren. Het speet me ontzettend voor Seanie, maar wat kon ik doen? We zouden binnenkort ieder onze eigen weg gaan en dat was het dan. Ik probeerde een laatste kruimel vriendelijkheid, een laatste beetje aanmoediging te bedenken, maar ik kon niets verzinnen.

Bij Cashel keek hij op zijn horloge en vloekte zachtjes. Hij trapte het gaspedaal helemaal in en hield zijn voet daar.

"Sorry, Nance," zei hij toen we door een kuil reden, "ik mag niet te laat komen. We zijn vandaag met een paar minder, zoals het er nu naar uitziet."

"Wie is er dan niet?" vroeg ik, niet omdat ik het wilde weten, maar gewoon om deze laatste minuten met hem door te brengen in iets anders dan doodse stilte.

"Vincent Morrissey is geblesseerd," verklaarde hij, "en..."

OD, vermoedde ik door zijn aarzeling. Alsof hij wist dat ik wilde weten waarom, voegde hij eraan toe: "Zijn vader is niet in orde."

Ik maakte me zorgen over Jimmy, maar ik zag niet in hoe ik iets voor hem zou kunnen doen.

"Spreek je OD nog wel eens?" vroeg Seanie.

"Seanie, dat is niet waarom ik niet wil..."

"Dat weet ik, dat weet ik. Het is alleen maar dat hij niet naar me wil luisteren en er is iets wat hij moet weten... over het park... weet je, mijn vader heeft plannen om..."

"Ik zal hem niet spreken. Dus het heeft geen zin om het me te vertellen," zei ik ongeduldig.

Ik had mijn eigen problemen, ik dacht dat OD de zijne wel aankon. Zo had hij het altijd gewild, ook al had ik heel erg mijn best gedaan om hem van iets anders te overtuigen. Ik duwde tegen het bandje in het cassettedeck. De Beautiful South. 'I'll sail this ship alone.'

OD

Zaterdagochtend. Grootse opening van het nieuwe stadspark. 'Groots' was niet het juiste woord. Er staat een letter te veel in en de andere zijn ook fout. Om het hek hing een malle strik. Het was niet het nieuwe, houten hek dat nooit is aangekomen, maar hetzelfde oude, knarsende, metalen ding dat er ook al geweest was op onze eerste ochtend op het terrein. Er was een podium opgesteld met een paar stoelen, in de buurt van de cabine. Er waren zelfs een microfoon en een gammel speakertje. Jammer genoeg kwam er niemand opdagen, behalve Snipe en zijn ploeg. De gemeentesecretaris niet, noch het plaatselijke parlementslid, zelfs geen fotograaf. Snipe was er kapot van.

Na een een uur of zo te hebben rondgehangen, begonnen we ons een beetje ongerust te maken. Snipe zag eruit als een wassen beeld, waarvan de was aan het smelten was. Zelfs ik maakte me zorgen over de paarse kleur op zijn wangen. Eindelijk trokken we in de richting van de poort. We hoefden nergens meer op te wachten. De avond ervoor waren we uitbetaald. Snipe was aan het telefoneren in de cabine. Het was een lang gesprek en het verliep niet zo best voor hem.

Johnny Regan was het eerst bij de poort, maar Snipe keek op, net voordat hij wegglipte.

"Nergens naartoe!" riep hij en hij deed zelfs geen moeite om zijn hand voor de hoorn te houden.

Johnny groette hem met twee opgestoken vingers en vertrok. Al de anderen volgden, behalve Beano en ik. Ik bleef alleen voor Beano omdat ik hem niet in zijn eentje achter wilde laten. We gingen zitten op de stoelen bij het podiumpje, dat eigenlijk bestond uit een paar houten paletten die bij elkaar waren gezet. Ik dacht erover om Beano te vertellen over mijn gedicht, maar hij zat er zo in zichzelf gekeerd bij, dat ik wist dat ik toch niet tot hem zou kunnen doordringen. Om de zoveel tijd begon hij te beven en ging er een krampachtige rilling door hem heen, terwijl hij zijn kaken op elkaar klemde van de pijn.

"Moet er iemand naar je enkel komen kijken, Beano?" vroeg ik.

"Nee, het is in orde."

Ik had net zo goed tegen mezelf kunnen praten, het was als praten tegen de rechtopstaande stenen in het gedicht dat ik had weggegooid. Ik keek rond en probeerde iets te verzinnen om hem een beetje op te vrolijken. Ik kreeg een idee toen ik de microfoon op zijn wankele standaard zag staan. Ik stond op en ging erachter staan. Ik vond een knopje aan de zijkant en probeerde het.

"Test een, twee, drie," zei ik. Mijn oren vielen bijna van mijn hoofd van het gepiep.

Vanuit zijn cabine stond Snipe kwaad te gebaren dat ik ermee op moest houden.

"Dames en heren," ging ik onverdroten verder, "we zijn hier bij de uitreiking van de Academy Awards en het ogenblik waarop u allen zit te wachten is nu aangebroken. Nog een minuutje geduld zodat ik de envelop kan openen met de genomineerden in de categorie 'Beste Acteur'.

Ik haalde het strookje van een oud bioscoopkaartje tevoorschijn uit mijn corduroy jasje en wierp intussen een steelse blik op Beano. Hij toonde belangstelling.

"Daar gaan we dan," verkondigde ik, "eerst hebben we Johnny Regan, voor zijn vertolking van een mens."

Beano grinnikte, klapte zachtjes en ik was vertrokken.

"De heer Mick Moran voor zijn schitterende rol in *De drol*. Seanie Moran voor *Invasion of the Bodysnatchers*, invasie van de lijkenpikkers."

Beano begon enthousiast te worden. Ik werd bitter. Ik moest een beetje minderen.

"En als laatste, Jack Nicholson in *Klucht in het Park*," verklaarde ik. "En de winnaar is... is... Jack Nicholson! Kom eens naar voren, Jack!"

Beano keek naar de cabine en dacht erover na. Hij stond langzaam op en kwam naar me toe. Hij lachte niet meer. Hij boog zich naar de microfoon, keek star in de richting van zijn vader, die nog steeds aan het telefoneren was en zich niet langer bekommerde om onze geintjes, en zei: "Ik wil niemand bedanken."

Toen liep hij weg. Hij was het hek uit voordat ik over de schok heen was. Ik wilde hem achterna gaan, maar toen ik langs de cabine kwam hoorde ik een geluid of er een stoel omviel of zo. Het eerste wat in me opkwam was dat Snipe een hartaanval had. Ik ging naar de deur en duwde hem open.

Binnen was het een chaos. De tafel lag ondersteboven. Plannen, oude exemplaren van de *Sun*, paperclips en pennen lagen verspreid over de vloer. Snipe zelf stond bij de achterste muur posters naar beneden te trekken en ieder stukje papier dat hij te pakken kreeg, verfrommelde hij.

"Waar is dit allemaal voor nodig?"

Hij draaide zich om, met in zijn hand een prop papier, alsof het een granaat was waar de pin uit was getrokken.

"Ga weg," riep hij.

"Ben je de zaak aan het vernielen omdat ze geen foto van je wilden maken?"

"Ze hebben ons voor gek gezet, OD," zei hij zwaar aangedaan. "Ze hebben ons als oud vuil behandeld."

"Ze? Wie bedoel je?"

Hij ging op de omgekeerde tafel zitten. Zijn rugbydas zat helemaal scheef, maar het leek hem niets te kunnen schelen.

"Dit moet een record zijn," zei hij, "een stadspark dat op één en dezelfde dag wordt geopend en gesloten."

"Bedoel je... gaan ze het park niet gebruiken... na al onze..."

"Ze hebben het verkocht. Terwijl wij hier aan het zwoegen waren, hebben zij het aan Mick Moran verkocht om er huizen op te bouwen. De rotzakken, wat denk jij, OD?"

"De landmeters..."

Hij knikte. Nu begreep ik het. Hij krabbelde overeind en liep langs me heen. Zoals hij naar het hek dwaalde, zo moet hij zich hebben gevoeld tijdens zijn laatste rugbywedstrijd.

"Zal ik afsluiten?" riep ik hem na.

"Kan me niet schelen, al steek je het in brand," schreeuwde hij. Hij schopte nog eens tegen het hek toen hij het terrein verliet.

Tussen de stapels rommel zocht ik werktuigelijk naar de sleutels en gaf mezelf zo niet de kans om na te denken over de vergeefsheid van alles. Onder een berg gebruikte gokformulieren vond ik niet een, maar twee sleutelbossen.

De eerste bos kwam me bekend voor. Ik had de cabine en de poort vaak genoeg afgesloten. Aan de tweede zat zo'n sleutelhanger met een familiewapen eraan. Van de familie Moran. Ik keek naar de graafmachine die aan de overkant stond, vlak bij het hek. Ik stopte de sleutels in mijn zak en dacht: die zie je nooit meer terug, Moran. Toen ging ik naar huis om mijn spullen te halen voor de middagwedstrijd. De voorlaatste van het seizoen.

Jimmy lag in bed toen ik thuiskwam. Hij stond nu 's ochtends nooit meer op, dus dat was geen verrassing. Ik had mijn schoenen laten liggen in een plastic zak, met de modder er nog aan. Boven de zak schraapte ik het slijk eraf en gooide de zak daarna op het haardrooster. Toen pas viel het me op dat de as was opgeruimd en mijn gedicht op de bruine envelop ook. Het kon me niet schelen. Het was toch rommel.

Ik begreep dat Jimmy al eerder op moest zijn geweest. Ik wilde hem een kopje thee gaan brengen, maar toen maakte ik me kwaad op hem omdat hij mijn gedicht had weggegooid. Wat perfect logisch was: ik vond het onzin, maar hem verweet ik dat hij het als onzin behandelde.

De klucht in het park werd die middag vervolgd met de klucht in de kleedkamer. Mahoney kwam niet opdagen. Wat zoiets was als het universum dat op zijn kop staat. Mahoney deed zulke dingen niet. Als wij zulke dingen deden, dan schold hij ons de huid vol, in godsnaam.

Het was me zelf ook bijna niet gelukt. Ik weet niet of het nu opluchting of verslagenheid was omdat we klaar waren met het niet-bestaande park, maar toen ik bij de haard zat, viel ik in slaap. Ik werd wakker om tien voor drie. De wedstrijd begon om drie uur. Om vijf voor kwam ik aan in de kleedkamer en vond Seanie, die de shirtjes uitdeelde. Hij was bij nummer zeven. Het werd stil toen ik binnenkwam. Seanie keek me aan of hij een spook zag.

"Er is geen spoor van Tom," zei hij. "We moesten het team zelf samenstellen."

"En ben ik te laat?"

Ik keek rond naar de anderen, maar ze deden of ze het te druk hadden met hun outfit. Ik draaide me weer om naar Seanie.

"Dus doe ik niet mee?" wilde ik weten.

"Dat zei ik niet, OD."

Brian O'Toole, onze centrumverdediger, gluurde van achter zijn sprieterige, rode haar.

"Wat had je dan gedacht? Je was er toch niet?"

Ik kreeg absoluut geen steun en liep naar de deur. Toen hoorde ik Seanies stem zacht maar vastberaden zeggen: "Als OD niet meedoet, dan doe ik ook niet mee."

Er klonk een algemeen gemompel van ergernis. Natuurlijk

dacht ik dat ze het op mij gemunt hadden, tot ik besefte dat ze allemaal naar de jongen keken die mijn plaats had gekregen, Sammy Dunne. Sammy was een goeie jongen. Ik vond het vervelend dat ik hem zijn kans afnam om voor de verandering eens een wedstrijd te beginnen en ik pakte Seanie aan.

"Ik heb jouw solidariteit niet nodig, Seanie," snauwde ik. "Sammy moet spelen. Oké, Sammy?"

Sammy haalde zijn schouders op. Voetbal was voor hem niet zo belangrijk als het voor mij was.

"Hé," zei hij, "nummer negen is van jou. Doe het aan."

Seanie gooide het shirt naar me toe. Ik had hem nog nooit eerder kwaad gezien. Ook ik voelde genoeg woede om hem aan te vliegen.

"Wist je het van het park? Van de huizen die je ouweheer er gaat bouwen?"

"Ik heb geprobeerd om het je te vertellen, maar je wilde niet luisteren."

Ik had Seanie er altijd stiekem van verdacht dat hij bang voor me was. Nu wist ik dat ik ongelijk had.

"Jij en je ouweheer zijn uit hetzelfde rotte hout gesneden," zei ik, "misdadigers en dieven."

"Ik heb je nooit iets misdaan, OD."

"Oh nee? Doet de naam Nance geen belletje bij je rinkelen?"

Ik was mezelf echt belachelijk aan het maken, tegenover een geboeid publiek.

"Ik ga niet met Nance, dat is nooit zo geweest," zei hij. "We zijn vrienden, als dat je iets zegt."

Hij stond niet te liegen, dat wist ik. Eigenlijk zag hij eruit als degene die bestolen was. Zou het mogelijk zijn dat Nance Seanie aan de kant had gezet omdat ze mij een tweede kans wilde geven? Zelfs als het waar was, dan zou de weg terug niet gemakkelijk zijn.

Ik zou moeten veranderen en wat hield dat in? Terug naar school? Niet meer drinken? Wat nog meer? Ophouden met over mezelf en al mijn andere problemen na te denken?

Het was de eerste keer dat ik overwoog om helemaal opnieuw te beginnen. Als de omstandigheden anders waren geweest had ik misschien op dat moment een beslissing genomen. Wat mij en een heleboel andere mensen een hoop moeilijkheden bespaard zou hebben.

Ik begon de wedstrijd slecht en ik deed het de hele eerste helft niet veel beter. Als Mahoney er was geweest, dan had ik van het veld moeten gaan. Voor Seanie was het ook een afknapper. Net voor de pauze miste ik een gemakkelijke bal. Ik raakte weg van de de laatste man en moest het enkel tegen de keeper opnemen. Mijn slechte knie had niks te maken met de manier waarop ik het verknalde. De keeper kon zijn geluk niet op toen de bal flauwtjes in zijn armen rolde.

Tijdens de pauze zaten we zoals gewoonlijk in een kring ons beklag te doen over de scheidsrechter en het hobbelige veld. Toen ik Beano's waanzinnige stem ergens vanuit de verte hoorde, was ik blij met de afleiding en blij omdat hij die afschuwelijke stilte waar ik het zo moeilijk mee had, van zich af had gegooid.

"Vooruit met die luie reet!" jankte hij. Ik wist dat hij aangeschoten was of zo, want dit was Jack Nicholson die de orders brulde in *A Few Good Men*.

Hij kwam erbij en hurkte naast me. Zijn rode ogen stonden hol, alsof hij een van zijn moeders peppillen had genomen, of een van Johnny Regan. Je hoorde hem aan de andere kant van het veld fluisteren. Seanie had het ongetwijfeld gehoord want hij draaide zijn hoofd met een ruk om toen ik naar hem keek.

"Ongelofelijk hè, OD? Dat gedoe over die huizen in het park. Mijn vader heeft het me net verteld."

"Niks van aantrekken, Beano," zei ik zo hard dat Seanie het kon horen, "het is allemaal uitschot."

"Ik trek me er wel iets van aan, OD," zei hij, "we kunnen er iets aan doen. Ik kreeg net een fantastisch idee."

Ik stond op en trok hem weg van de anderen, die nu allemaal meeluisterden.

"Heb je iets genomen, Beano?" vroeg ik boos.

"OD, dat zeg je nou altijd," mompelde hij. "Ik heb er een hekel aan dat je dat altijd zegt, alleen maar omdat mama..."

"Het spijt me. Luister, Beano, hou erover op, oké? We kunnen er niets aan doen. Knoop dat nou maar in je oren."

"Er is iets," ging hij door. "Mijn vader heeft ons thuis verteld wat er gebeurd is en..."

De scheidsrechter floot om opnieuw te beginnen.

"... en hij zei dat de mannen van Moran het terrein maandag-ochtend gaan nivelleren met die graafmachine die daar staat."

"En dan?" zei ik ongeduldig omdat ik weer wilde gaan spelen.

"En dan? Wij hebben het opgebouwd, OD," verklaarde hij. "Waarom zouden we het dan door een ander laten afbreken?"

Het eerste wat ik dacht, was dat we geen behoefte hadden aan nog meer problemen. Toen zag ik in dat zijn krankzinnige logica helemaal raak was. Het terrein zou toch met de grond gelijk wor-den gemaakt, dus waarom zouden we het niet zelf doen? Waarom zouden we die mensen eigenlijk over ons heen laten lopen? Dan zouden we weer toegeven dat we machteloos waren en dat we geen stem hadden, of te murw waren om het jammerstemmetje dat we misschien wel hadden te verheffen.

"Beano," zei ik, "je bent een genie."

"We zullen een paar scheppen en kruiwagens en dat soort din-gen moeten hebben om het met de grond gelijk te maken, vind je niet?" opperde hij.

Ik stond op de rand van een afgrond en maakte me klaar om te springen. Ik wist dat ik het misschien nooit meer te boven zou komen, maar ik was al in vrije val toen ik Beano antwoord gaf.

"Ik weet nog iets beters, Beano," zei ik. "Ik heb de sleutels van de graafmachine."

Ik liep naar de middencirkel voor de aftrap en voelde me gevaarlijk maar beheerst. Ik scoorde twee doelpunten in de tweede helft en Seanie verliet vrijwillig het veld om Sammy mee te laten spelen. Hij kon het gewoon niet meer opbrengen, niet zoals ik. We wonnen met 2-0. We lagen nu vier punten voor op St. Peter en zij moesten later op de avond spelen. Als ze verloren was de competitie van ons.

Zelfs toen Beano en ik het voetbalterrein verlieten, voelde ik dat het spel nog niet afgelopen was en dat ik op weg was naar een hattrick*.

Nance

Toen Seanie me afzette in het centrum van de stad, was het er druk, zoals altijd op zaterdagmiddag, maar ik had me nog nooit zo alleen gevoeld. OD was uit mijn leven verdwenen en Seanie zou dat binnenkort ook doen, nu ik hem zo had afgepoeierd na alle moeite die hij had gedaan. Tom en May hadden wat mij betreft net zo goed op een andere planeet kunnen wonen, of liever, op twee verschillende planeten. En Chris Mburu was ik al kwijt zodra ik hem gevonden had, samen met mijn geheimzinnige natuurlijke moeder. Hoewel mijn instinct niet juist was geweest, kon ik toch niet geloven dat het Amerikaanse hippiemeisje mijn natuurlijke moeder was. Misschien wilde ik het gewoon niet geloven omdat ze er zo haveloos uitzag. En door Heathers verdict over haar en haar vriend: dat ze niet deugden.

Ik was niet kwaad op Heather Kelly. Uiteindelijk had ze me zoveel verteld dat ik begreep dat ze ook iets voor Tom en May moest overlaten om te vertellen. Ik denk dat ze dacht dat het laatste puzzelstukje een aanknopingspunt kon zijn om weer met elkaar te gaan praten. En eigenlijk was de identiteit van mijn natuurlijke moeder nog nauwelijks van belang. Ze was dood. Ik zou haar nooit kunnen ontmoeten. Het enige vooruitzicht was dat ik haar graf zou kunnen bezoeken en misschien een paar van haar familieleden zou kunnen ontmoeten. Al zou ook dat niet zo gemakkelijk zijn. Wisten zij wel van mijn bestaan? Wilden ze dat ook wel weten? Het leek maar een schrale troost na alles wat ik had doorgemaakt.

Heather Kelly dacht misschien dat mijn moeders identiteit het laatste stukje van de puzzel was, ik dacht dat niet. Nee, de grote vraag voor mij was waarom Tom en May me niet hadden verteld dat ze mijn natuurlijke ouders hadden gekend. De hele situatie had zo uitzonderlijk geleken toen ik eraan begon, en nu leek alles zo gewoon te zijn en niet zoveel anders dan wat ze mij altijd hadden verteld. Waarom zouden ze liegen over dat ene detail? Ik gaf nog genoeg om ze om te geloven dat ze zoiets alleen deden om me te beschermen. Maar waartegen? En ik was nu in elk geval toch oud genoeg om geen bescherming meer nodig te hebben. Of niet soms?

Er was maar één manier om de antwoorden op die vragen te vinden en dat was Heathers en Seanies raad aannemen. Het was tijd om met elkaar te praten, hoe pijnlijk dat ook zou blijken te zijn. Of het zou er over een paar uur tijd voor zijn. Ik bedacht dat Tom wel op het voetbalveld zou zijn en ik vond het niet eerlijk om May er alleen mee te confronteren.

Ik had geen zin om iemand tegen te komen en te moeten praten, dus ik ging weg van het plein. Ik dacht eraan misschien terug te gaan naar de rivier, maar het was koud en in plaats daarvan liep ik naar de Friarystraat. Boven gekomen sloeg ik rechtsaf en liep langs de statige huizenrij van de Blackcastle-laan en kwam langs de plaatselijke bibliotheek. Ik besloot, zomaar, om naar binnen te gaan.

Ik verwachtte bijna Heather Kelly te zien achter de tafel, toen ik binnenkwam en doorliep naar de reisafdeling. Ik pakte een boek over Kenia en daarna nog een ander bij geschiedenis. Ik nam ze niet mee naar een tafel omdat ik liever niet wilde dat iemand zou zien wat ik aan het lezen was. Ik zocht de Samburu's op in de inhoudsopgave van beide boeken en bladerde erin.

De Samburu's waren een rondtrekkend herdersvolk uit Noord-Kenia. De naam betekende 'vlinder', wat precies bij hen leek te passen. Met hun slanke bouw en fijne gelaatstrekken, zo zei het ene boek, maakten de Samburu's een bedrieglijk kwetsbare indruk.

Er stond een foto bij van een Samburumeisje. Ze had mijn nichtje en zelfs mijn zusje kunnen zijn, hoewel haar haar bijna volledig was afgeschoren. Dit in tegenstelling tot mijn eigen ragebol, waar ik eigenlijk nooit iets speciaals mee deed. Maar nu misschien wel, dacht ik.

Het meisje droeg een hoofdband van kralen en grote buttonachtige oorringen, die niet zoveel verschilden van de dingen die May maakte. Haar bovenarmen en polsen waren versierd met een aantal strakke, uit wit materiaal gevlochten banden. Ze zag er erg trots uit en ze was heel mooi. Ik voelde ook een soort trots, omdat ik van dit volk afstamde.

Het was gemakkelijk geweest om een perfect, rooskleurig beeld op te hangen van een verloren paradijs waaruit ik verdreven was. Maar de Samburuwereld was een echte mannenwereld. Vrouwen waren goed genoeg om zware lasten te dragen en veel kinderen te baren, maar hadden niets te zeggen over hun eigen leven.

Toen ik de bibliotheek verliet, was ik vastbeslotener dan ooit om antwoord te krijgen op mijn vragen. Ik kwam langs de Galtee Lounge in de Friarystraat en dacht terug aan alle verloren uren die ik had doorgebracht met OD en alle hoopvolle gesprekken over de 'toekomst' waarmee ik hem had doodgegooid, een 'toekomst' waar ik hem niet in kon laten geloven. Ik dacht dat ik er, naar het scheen al een hele tijd, zelf niet meer in geloofde. Maar ik herinnerde me wat het boek over de Samburu's zei: ze zagen er bedrieglijk kwetsbaar uit. Ik besefte dat ik sterk was, sterker en onafhankelijker in mijn denken dan ik mij ooit had voorgesteld.

Soms had het ernaar uitgezien dat de toekomst niets voor me betekende, maar dat was nooit waar geweest. Ik was maar een paar dagen nadat ik het 'voorgoed' had opgegeven, weer teruggegaan naar school. Ik had mijn eigen weg gevolgd en niet het 'uitval'- voorbeeld van OD. En ik studeerde echt, zonder te doen alsof. En niet alleen om niet aan mijn problemen te denken. Dat was onzin. Ik was nooit van plan geweest om het 'allemaal weg te gooien'.

Nu ik dat allemaal wist, voelde ik me meer dan ooit klaar voor de confrontatie met Tom en May. 'Wacht er niet mee,' hoorde ik Jimmy zeggen, weken geleden. Sinds Seanie had gezegd dat hij niet in orde was, wist ik dat ik naar hem toe moest. Ik dacht dat ik nog een halfuur had voordat Tom thuis zou komen, dus ging ik naar het Valera park. OD ging toch regelrecht naar de Galtee Lounge na de match.

Toen ik bij het huis kwam, waren de voortekenen niet goed. Ik hoorde geen geluid van radio of televisie en een paar minuten nadat ik op de kapotte deur had geklopt, hoorde ik zelfs geen geluid van voetstappen. Toen hij eindelijk de deur opende verbeeldde ik me dat Jimmy al die tijd in de hal had gestaan, zo stil en onverwacht was hij gekomen.

Ik was geschokt. Zijn gezicht zag er ziekelijk grijs uit, de kleur van de armoede, dacht ik onmiddellijk.

"Ik voel me niet zo best," zei Jimmy alsof hij wist dat ik graag een verklaring wilde, alsof ik dat verdiende. "Kom je binnen?"

De gang en de keuken begonnen er weer verwaarloosd uit te zien, maar ik probeerde hem niet te laten merken dat ik het zag.

"Heb je griep?" vroeg ik. "Of zoiets?"

Hij viel neer in zijn gehavende leunstoel bij de koude haard.

"Nee, ik ben gewoon in de war," zei hij, "maar ik ben nog steeds op de goede weg. Die ouwe trompet, weet je wel. Over twee weken heb ik het geld bij elkaar."

Hij keek me recht aan, maar zijn ogen draaiden. Ik stond dicht genoeg bij hem om alcohol te ruiken als hij gedronken had, maar dat had hij niet. Ik wist dat er iets ontzettend mis was met hem, maar ik kon niet bedenken wat. Alles wat ik kon verzinnen was aan te bieden om thee te zetten.

"Fantastisch," zei hij, "dat zou fantastisch zijn."

Toen ik op zoek was naar theezakjes viel het me op dat er nog minder eten dan anders was in de kasten. Eigenlijk was er niets meer dat nog eetbaar was.

"Je moet nodig eens boodschappen doen," zei ik, half als een grapje.

"Een dezer dagen," antwoordde hij vaag. "We missen je nu je niet meer komt, weet je dat?"

"Ja, goed," lachte ik. "Ik durf te wedden dat hij de hele tijd over me praat."

"Met geen woord. Zo weet ik dat hij je mist, zoals hij ook zijn moeder mist. Hij praat nooit over dingen die hem raken."

"Met mij praatte hij ook nooit echt, Jimmy."

"Ja, hij kropt het allemaal op," zei hij. "En een dezer dagen ontploft hij. Ik voel het, Nance. Vanaf het moment dat jullie uit elkaar zijn gegaan, voel ik het."

Ik zette thee en dacht bij mezelf: probeer me niet te chanteren, Jimmy, geef mij niet de schuld. Maar Jimmy was druk bezig om zichzelf de schuld te geven.

"Ik heb hem op een vreselijke manier in de steek gelaten," zei hij rustig. "Het is verschrikkelijk zwaar om vader te zijn, of moeder in dit geval. Niemand zegt hoe je het moet doen en je schijnt er altijd pas achter te komen als het te laat is."

Ik had zin om te zeggen dat je alleen moet proberen om eerlijk te zijn, maar ik dacht dat ik niet het recht had hem de les te lezen.

"Ik kijk vaak naar mensen als jouw vader en moeder," ging hij verder. "Aardige, fatsoenlijke mensen, die zich met hun eigen zaken bemoeien. En ze geven hun kinderen alle kansen. Wat ben ik voor clown, Nance? Waarom kan ik het zelfs niet maar half goed doen?"

135

"Je moet jezelf niet vergelijken met anderen, Jimmy," zei ik. "Niemand doet het ooit echt goed."

Hij pakte een luciferdoosje dat naast de grote ginfles op de schoorsteenmantel lag en hield het omhoog.

"Ik weet niet veel," zei hij. "Je kunt alles wat ik weet in dit doosje proppen en dan hou je nog plaats over voor dertig lucifers. Maar dit weet ik wel. Tom en May zijn het zout der aarde. En jij bent er het levende bewijs van."

"Waarom vertel je me dat, Jimmy?"

Hij grinnikte droefgeestig en nam een grote slok thee.

"Omdat ik vermoed dat het iets is wat je niet graag hoort. En meestal zijn de dingen die je niet wilt horen de dingen die je juist moet horen."

Toen lachte hij hardop en zijn tanden klapperden zenuwachtig en onbeheerst.

"Hoe heb ik dat gezegd!"

Daardoor loste de spanning op en ik lachte met hem mee. Tot we de voordeur hoorden opengaan. We verstijfden allebei als katten die betrapt worden bij het likken aan de room.

OD stond in de deuropening van de keuken en deed zijn best om er onverschillig uit te zien, nu hij oog in oog stond met het onverwachte. Ik besefte dat ik hem al meer dan een maand niet had gezien. Iets wat haast onmogelijk lijkt voor twee mensen die al zo lang en zoveel met elkaar waren opgetrokken. En het was ook niet zo dat dit New York was of een andere grote stad, waar zoveel straten zijn om je in, en zoveel mensen om je achter te verstoppen. Hij was niet veel veranderd. Hij zag er misschien wat onverzorgder uit, en kouder, dat zeker.

"Hoe gaat het ermee?" vroeg hij nonchalant.

"Goed," zei ik. "Hoe is het met jou?"

"Ja, met mij gaat het ook goed."

136

Jimmy kwam moeizaam overeind en liep naar de deur. OD bewoog zich niet en Jimmy moest zich langs hem persen. Hij bleef me maar aanstaren alsof zijn vader er helemaal niet was.

"Ik ga een dutje doen, Nance," riep Jimmy vanuit de hal. "Tot de volgende keer, meid."

"Ik kan maar beter gaan," zei ik. OD deed een stap opzij om me erlangs te laten.

Toen ik bij de voordeur kwam, stond hij nog steeds bij de keukendeur en staarde naar binnen. Je probeert het niet eens, hè, OD? dacht ik.

"Het is dus niks geworden met Seanie?"

"Nee," zei ik terwijl ik de deur vasthield en niet omkeek.

"Net goed," zei hij. "Het is net zo'n rotzak als zijn ouweheer."

Ik draaide me langzaam om en hij ook. Onze ogen ontmoetten elkaar. Hij keek triest, niet hard zoals de woorden die hij had uitgespuugd. Ik voelde me wat milder gestemd tegenover hem. Maar niet veel.

"Wanneer hou je er nu eens mee op om medelijden met jezelf te hebben?" vroeg ik hem. "Wanneer sta je nu eens op, en ga je eens iets anders doen dan zeuren?"

"Gauw. Heel gauw. Dat zul je zien."

"Ja, als de kalveren op het ijs dansen, zeker. Kijk eens naar de manier waarop je Jimmy behandelt, alleen maar omdat hij iets probeert te doen. Je bent gewoon bang dat het hem lukt, zodat zal blijken dat jij een nog grotere stommeling bent."

"Ga maar verder, kraak me maar af," mompelde hij, "ik ben eraan gewend."

"Dat laat me koud. Ik heb zelf genoeg problemen, ik wil geen tijd verliezen met de jouwe."

Toen hij in lachen uitbarstte werd ik echt nijdig. Door de gang liep ik kalm naar hem toe en bleef op een paar centimeter afstand

137

van hem staan. We hadden lange tijd niet meer zo dicht bij elkaar gestaan en ook niet zo ver van elkaar af.

"Iedereen heeft een perfect leven hè, behalve jij?" raasde ik. "Arme kleine OD Ryan, het jongetje dat door iedereen vergeten werd."

Hij stond nog steeds stom te grinniken, dus stopte ik niet. Ik wilde ten koste van alles die lach van zijn gezicht.

"Je leraren hebben je van school gesmeten. Tom wil je uit de ploeg gooien. Snipe Doyle behandelt je als stront."

"Hou je mond," zei hij.

"Je mammie is weggelopen. Je pappie heeft het enige pond dat hij je ooit heeft gegeven weer afgepakt. Seanie Moran heeft je vriendinnetje gesto..."

"Hou je mond, zwart..."

Ik stapte naar achteren om ruimte te hebben zodat ik met mijn arm kon zwaaien. Hij wist dat het eraan kwam en hij deed geen moeite om zich te verdedigen. De klap klonk als een ontploffing. Ik keek hoe de flauwe rode omtrek van mijn vingers op zijn bleke huid verscheen.

"Het spijt me," zei hij.

"Akelige bleekscheet!"

De gang leek langer toen ik terugliep naar de voordeur. Ik gooide de deur achter me dicht. Het leek onmogelijk dat de pijn nog erger kon worden.

OD

Ik heb het grote weerzien met Nance goed verknoeid. Daar stond ik bij de voordeur, klaar om de wereld aan stukken te slaan, en zodra ik haar ongedwongen lach daarbinnen hoorde, werd er een knopje in mijn hoofd omgedraaid. Ik was weer helemaal redelijk, vol goede bedoelingen. Niet langer dan een paar minuten.

Ze keek me aan met zo'n koude, trotse blik en ik ging meteen in de verdediging. Alles wat ze zei, klonk kortaf en scherp en toen liep ze naar de voordeur en liet ik me gaan. Dat woord ontsnapte me en ik nam wat me overkwam. De klap bracht me terug naar die afschuwelijke avond dat mam en Jimmy elkaar te lijf gingen. Toen ze vertrok, was ik zover dat ik de graafmachine naar Morans prachtige huis kon rijden om het met de grond gelijk te maken, zonder me nog te bekommeren om de afwerking van het park.

Ik trok een oude jeans aan en slingerde de spullen in het rond toen ik mij op mijn kamer stortte. Toen Jimmy me riep, wist ik waarom ik zo'n lawaai maakte. Ik trapte zijn deur open en zag dat hij in bed lag.

"Wat moet je?" vroeg ik hem nors.

"Nance staat onder druk," zei hij, "ga haar achterna."

"We hebben elkaar niks te zeggen, ik en Nance. En bovendien heb je er niks mee te maken."

"Luister nou eens voor de verandering. Je hebt toch niks te verliezen."

Ik stormde naar het bed, pakte hem van voren bij zijn overhemd en tilde hem op tot hij zat.

"Ga me niet vertellen wat goed voor me is, Jimmy," schreeuwde ik, "dat recht heb je al jaren niet meer."

"Dat weet ik," zei hij.

Ik trok hem dichter naar me toe. Zijn overhemd scheurde tussen mijn vingers en ik greep het steviger vast.

"Door jou raakte ik mijn moeder kwijt."

"Dat weet ik."

Ik schoot vol. De woorden bleven in mijn keel steken.

"We hebben... we hebben niets.... we hebben minder dan niets..."

"Dat weet ik."

"Hou op. Hou op met zeggen dat je het weet. Je weet niks."

"Ik..."

"Hou je bakkes, Jimmy!" krijste ik. "Schooier, jij loze, egoïstische, misselijke schooier. Mijn leven ligt aan stukken en het is jouw schuld. Alles wat mij overkomen is, allemaal jouw schuld!"

Hij keek me in de ogen. Ik besefte dat hij moeite had met ademen. Ik keek naar beneden, naar mijn handen. Ze lagen om zijn keel. Ik duwde hem van me weg en hij viel terug in het kussen, snakkend naar adem.

"Koper is terug," kreunde hij. Even dacht ik dat hij me probeerde te tergen om hem af te maken, om hem uit zijn ellende te verlossen.

"Koper is terug," herhaalde hij. Hij kwam op een elleboog overeind, met naar het scheen het laatste restje van zijn krachten.

Ik liep achteruit, bang voor wat ik had gedaan, doodsbenauwd voor de uitdrukking op zijn gezicht.

"Red jezelf, OD," zei hij gesmoord fluisterend, "een ander kan het niet voor je doen. Red jezelf."

"Hoe?" zei ik, me verslikkend in de woorden. "Hoe kan ik dat, verdomme?"

In de Galtee Lounge raakten Beano en ik flink boven ons theewater. Deze keer was hij al aan het drinken nog voor ik daar was, maar

ik probeerde hem natuurlijk niet tegen te houden. Een paar ploegmaats waren aan het wachten op een telefoontje over de wedstrijd
van St. Peter. Wij stonden apart. Het vooruitzicht van dat telefoontje vond ik niet erg opwindend. Ik had het te druk met proberen te vergeten wat er thuis was gebeurd en met het verzamelen
van flink wat moed voor de taak die ons wachtte.

Beano's indrukwekkende uitspraak voor die avond was er nog
een van Jack Nicholson, alweer de Joker in *Batman*: "Je kunt geen
omelet maken zonder eieren te breken." Hij zei het zo vaak dat ik
hem vroeg of de plaat bleef hangen.

Johnny Regan hing een poosje om ons heen, maar ik waarschuwde hem duidelijk. Zelfs toen Beano naar de toog ging om
nog wat te halen, bleef ik kijken.

"Wat zei Johnny tegen je?" vroeg ik toen hij terugkwam.

"Niks."

"Dan was hij zeker tegen zichzelf aan het praten?"

Zijn ogen begonnen kwaad te flikkeren, zoals altijd in de roke-
rige sfeer van de Galtee.

"Je bent weer bezig over drugs, OD," zei hij, luider dan hij had
bedoeld. "Waarom behandel je me altijd als een kind... alsof ik niet
voor mezelf kan denken?"

We dronken onze glazen in stilte leeg. Het was kwart over negen. Tijd om in actie te komen.

"Beano," zei ik, "laten we een paar eieren gaan breken."

Ik voelde me een echte lul, omdat ik meedeed met dat fanta-
siewereldje waarin je begint te geloven dat het leven een video is
en jij de ster. Dus nog eens, een lul, dat is precies wat ik was.

De straten waren erg rustig en leeg voor een zaterdagavond. Er
viel een lichte motregen, miezerig en glimmend in het licht van de
lantaarns. Ik stond nog vrij stevig op mijn benen, maar Beano slingerde heen en weer met grote, grillige passen, van de ene kant van

de stoep naar de andere. Het zweet liep in straaltjes van hem af en hij nam steeds grote slokken uit de enorme ciderfles in zijn zak.

"Hoe heb ik het bedacht?" balkte hij toen we het stadspark naderden.

"Stop met schreeuwen, Beano. En hou op met dat spul te drinken."

"Er is hier niemand, OD," zei hij. "Niemand let op kerels zoals wij. Tot nu toe tenminste."

Ik werd zenuwachtig en nuchter als ik dacht aan de gevolgen van wat we gingen doen. Volgende week zou ik weer gaan stempelen en naar werk zoeken. Wie zou me aannemen na deze escapade? En wat als we zouden worden voorgeleid? Dan zou mijn naam in de krant komen en ik zou een strafregister krijgen en misschien zou ik een tijdje in de gevangenis zitten. Ik zou de stad moeten verlaten en waar zou het eindigen als ik op mijn zeventiende begon weg te lopen? Ik zou gewoon een anonieme klaploper zijn, die van dorp tot dorp en van stad tot stad zwerft.

Maar we waren nu bij het park en ik vond alweer argumenten om door te gaan met ons plan. Ik zou toch geen baan vinden, met of zonder strafblad. Niet met mijn adres, niet met mijn 'familiegeschiedenis.' En in elk geval, waarom zou ik nog rond willen hangen in deze stad waar ze me niet wilden en waar ik niet gerespecteerd werd?

We klommen over het hek en renden naar de graafmachine.

"Heb je ooit al eens gereden?" vroeg Beano met een opgewonden kakelstem.

Ik had het nog nooit gedaan.

"Ja," zei ik, "ik heb Mahoney in de wielen gereden."

Hij barstte uit in een luid, dronken gegrinnik. Zijn bleke gezicht had een wonderlijke, spookachtige glans in het zwakke licht. Ik voelde dat er iets vreemds aan hem was en mijn slechte knie voelde zwak aan van het rennen.

We klommen in de cabine van de graafmachine. Ik zocht een lichtje, maar vond niets. Ik zat op de plaats van de bestuurder. Beano wurmde zich naar binnen over mijn schouder. Mijn handen beefden en de sleutels rammelden als ketens.

"Ga van mijn rug, Beano!"

"Sorry, sorry!"

Ik raakte aan het donker gewend en begon de omtrek van het dashboard te onderscheiden. Eindelijk vond ik met mijn vingertoppen het juiste gaatje voor de sleutel. Ik stak de sleutel erin.

"Bingo," zei ik, "we gaan eraan beginnen."

Mijn hand raakte de versnellingspook en ik schoof hem naar voren. We begonnen te rijden, eerst langzaam en schokkend, maar ik had een duidelijk doel voor ogen. We reden naar de rotspartij. Het lawaai in de cabine was oorverdovend, het stuurwiel enorm zwaar. Ik kon er niet achter komen hoe ik de graafemmer op en neer moest bewegen, dus reed ik regelrecht op de zorgvuldig opgestapelde berg van rotsen, klei en stenen in. We schoten allebei naar voren en sloegen met ons hoofd tegen het windscherm.

Ik hield mijn voet stevig op het gaspedaal en de graafmachine reed centimeter voor centimeter verder naar boven. We beklommen de rotspartij en ik wist wat er bovenaan zou komen, een duik in de fontein en een meter water.

Ik draaide de sleutel om en trok hem eruit. De motor viel stil. Ik tuurde de nacht in. We balanceerden op de top van de rotspartij en de voorste wielen konden niet meer dan een paar centimeter van het water in de fontein verwijderd zijn.

Toen we opstonden om eruit te springen, begon het hele gevaarte heen en weer te wiebelen. Ik greep Beano's schouder.

"Kalm aan," zei ik zacht, alsof zelfs het geluid van mijn stem genoeg was om ons in het water te doen vallen. "Doe de deur langzaam open en klim er heel voorzichtig uit, oké?"

Beano's bravoure was verdwenen. Hij jammerde als een kind toen hij naar beneden klauterde en de machine met een ruk naar voren schoot. Ik raakte tot bij de deur en de cabine zwaaide van de ene naar de andere kant en helde weer over naar de fontein, maar deze keer stopte hij niet. Ik zette af als een skydiver en de natte aarde kwam zo snel op me toe dat ik geen tijd had om mijn val te breken. Mijn slechte knie boog zich onder mij en ik gilde het uit van de pijn toen de graafmachine in het water stortte.

Beano hield me vast en schreeuwde zomaar iets. Tot ik het blauwe zwaailicht van een politiewagen zag.

"Rennen!" schreeuwde ik, ondanks mijn pijn. "Langs de achterkant, door de velden. Ga!"

"Ik laat je niet alleen," snufte hij. "Ik heb je overgehaald om dit te doen. Ik zal de schuld op me nemen."

"Ga, Beano!"

"Nooit! Nooit!"

We werden gesnapt. De enige schade die we hadden weten aan te richten was de graafmachine op z'n kop zetten en mijn knie vernielen. Het leek of het alle moeite niet waard was geweest toen we naast elkaar achterin de politie-auto zaten, op weg naar de Gardakazerne. Beano huilde de hele weg.

Een paar jonge agenten brachten ons naar een cel. Ze behandelden ons niet ruw of zo, maar ik voelde me toch geradbraakt. Het lukte me om bij de brits in de hoek van de cel te komen. Toen ze de deur op slot deden kwam Beano naar me toe en legde zijn hoofd op mijn schouder. Ik voelde hem over zijn hele lichaam beven.

"Ik ben bang, OD."

"Ze laten ons over een paar uur wel weer vrij," verzekerde ik hem. "Maak je geen zorgen."

Maar daardoor raakte hij alleen nog maar meer buiten zichzelf. Hij lag op zijn rug op de brits en ik zag dat hij zijn ogen stijf dichtgeknepen hield. Hij snakte naar adem en ik wist zeker dat hij een soort toeval zou krijgen. Ik dacht weer aan de drugs, maar ik wilde niet dat hij zou denken dat ik hem niet geloofde, zelfs als hij loog.

"Ik ga dood, OD."

"Denk aan iets anders, Beano," zei ik, maar ik was banger dan ooit. Ik was er zeker van dat hij iets had genomen, en wilde net om hulp roepen toen hij weer begon te praten.

"Je begrijpt het niet, OD," huilde hij. "Jij weet niet wat het is om opgesloten te zitten in een kamertje als dit, dagenlang... wekenlang..."

Hij opende zijn ogen en keek om zich heen naar de muren, alsof hij verwachtte dat ze ieder moment konden instorten. "Ze bonden me meestal aan het bed vast als ze uitgingen. Ze hebben me eens drie dagen geen eten gegeven."

Ik hield hem vast en ik voelde hoe hij tegen me aankroop.

"Waarom heb je me dat nooit verteld, Beano?"

"Het was voordat we elkaar leerden kennen," zei hij. Toen raakte hij weer in paniek. "Maar nu is het niet meer zo, OD. Weet je, het was niet echt iemands schuld. Mama was niet in orde en mijn vader werd bijna gek van de zorgen. Maar sinds ze de pillen heeft, zijn de dingen... fantastisch... ze zijn nu fantastisch, eerlijk."

Ik had geen enkel recht hem vragen te stellen, hij was al kapot en hij had mij niet nodig om hem nog verder af te breken. Ik verbeeldde me dat ik aan Beano's welzijn dacht, maar in werkelijkheid had ik een nieuw doelwit voor mijn woede. De ploegbaas uit de hel. Snipe Doyle.

"Wat heeft hij met je gedaan die avond na de Galtee, Beano?"

Hij liet me los. Er stond haat in zijn ogen en ik hoopte dat die niet tegen mij gericht was. Ik wist dat ik het verdiende, zoals ik hem onder druk zette. Toen kwam de glimlach. De Jack Nichol-son-glimlach, die verschijnt voordat hij gemeen wordt. Beano was vertrokken, als Jack, die Tom Cruise uitkaffert in *A Few Good Men*.

"Je kunt de waarheid niet aan!" gilde hij. "Wil je de waarheid? Ik geef je de waarheid."

"Jezus, Beano, hou op met toneelspelen."

Jack Nicholson verdween in het niets. Beano's gezicht kreeg een nietszeggende uitdrukking.

"Hij duwde me van de trap," zei hij. "Met zijn vuist."

Achter hem zwaaide de celdeur open. De jonge agent wees met zijn duim over zijn schouder.

"Wegwezen, jongens," zei hij. "Er is geen aanklacht. Gewoon geen problemen meer veroorzaken, anders pakken we jullie eens stevig aan."

"Maar we hebben een graafmachine gestolen en we verniel-den..." begon ik ongelovig.

"Luister, we hebben met de gemeente gepraat en met meneer Moran," legde hij geduldig uit. "Ze willen niet dat het verhaal over het park naar buiten komt. Slechte reclame, begrijp je. Prijs jezelf gelukkig, jongens, en verdwijn."

Ik hinkte de kazerne uit, met mijn arm rond Beano om me te ondersteunen. We moeten eruit gezien hebben als twee hopeloze gevallen in een wedstrijd op drie benen. En hopeloze gevallen waren we. Ons zware protest liep met een sisser af, gesmoord door de gevestigde macht.

Bij het hek voor ons huis zei ik Beano goedenacht, maar ik was niet van plan om naar binnen te gaan. Er broeide een waanzinnig idee in mijn hoofd. Ik was er misschien niet in geslaagd om Moran te grazen te nemen, of die idioten die ons zes maanden hadden laten verspillen met een park dat nooit zou bestaan. Snipe zou niet aan mijn klauwen ontsnappen.

"Ga naar huis en naar bed, Beano," zei ik.

"Wat als hij er is," smeekte hij, "als hij me opwacht."

"Het is zaterdagavond, Beano," bracht ik hem in herinnering, "hij zal nog wel in de pub zitten."

"Ik denk van wel," mompelde hij treurig en slofte weg. "Je blijft toch altijd mijn vriend, hè, OD?"

Dat had ik nu net nodig. Nu kon ik echt geloven dat ik het voor hem deed.

"Dat weet je toch," zei ik. "Ga nu, en ga meteen naar bed, goed?"

Ik deed of ik mijn sleutel zocht tot ik de voordeur van zijn huis in de verte dicht hoorde gaan. Mijn maag trok samen en ik keek omhoog naar de lucht. Het was intussen opgeklaard. De sterren stonden op hun gewone plaats en trokken zich geen zier van me aan. Er was iets poëtisch aan, maar mijn hoofd stond in de verste verte niet naar poëzie. Ik probeerde wat gewicht te verplaatsen naar mijn slechte been en het hield het net. Dat was al goed. Ik hoefde toch niet weg te rennen. Ik was klaar met rennen, dacht ik.

Als hij naar huis kwam uit de pub, sneed Snipe altijd een stukje af via een binnenweggetje dat langs onze kant van het Valera park liep. Alles wat ik moest doen, was daar zien te komen en wachten. Ik strompelde naar de overkant van de weg, naar het onverlichte steegje. De kerkklokken sloegen middernacht en ik rekende op een uur, misschien anderhalf, voordat hij in mijn val zou lopen. Het was niet zo.

Meer dan tien minuten kan het niet geduurd hebben, voordat ik voetstappen hoorde aan de andere kant van de laan. Snipe was me al voorbij, nog voor ik besefte dat hij het was.

"Je bent vroeg," riep ik hem na.

Snipe draaide zich om, maar ik kon zijn gezicht niet goed genoeg zien om te weten of hij bang was. Ik vermoedde dat hij dat niet was. In zijn verbeelding was hij nog steeds de stoere kleine scrum-half die niet bang was voor een mannenspelletje.

"Wat doe jij hier?"

"Ik wacht op iemand," zei ik. "Iemand die kinderen mishandelt. Ik ga hem een koekje van eigen deeg geven."

Hij slenterde naar me toe. Ik kon hem nu beter zien. Zijn oogleden waren halfgesloten, hij had zijn rugbydas niet om en de knoopjes van zijn overhemd stonden open, in Mick Moranstijl.

"Je gelooft die witte idioot, hè?"

Mijn vuist verdween in zijn bierbuik en hij kapseisde voorover. Ik trapte hem met mijn goede been tot hij plat op de grond lag. Ik gaf hem nog een laatste schop met mijn slechte been, zonder me iets aan te trekken van de pijn.

"Sta op, Snipe. Ik dacht dat je een harde rugbyspeler was."

Hij gromde en rilde ongecontroleerd. Toen bewoog hij niet meer.

"Snipe?"

Ik liep om hem heen, er zeker van dat hij een truc uithaalde, zodat ik niet meer op mijn hoede zou zijn. Ik reikte naar beneden en draaide zijn arm op zijn rug. Het was geen truc. Hij was helemaal buiten westen. Hij haalde moeizaam en met korte stoten adem. Bij zijn mondhoek glinsterde een straaltje bloed. Ik wist niet hoe doodgaan eruitzag, maar ik wist zeker dat dit het was. Ik raakte in paniek en begon te rennen, steun zoekend tegen de muur om mezelf recht te houden.

Als die agenten me nu te pakken kregen, was er geen ontkomen meer aan. Ik moest op de een of andere manier de stad uit zien te komen. Ik kreeg het krankzinnige idee om op een van die treinen te springen die 's nachts door de stad rijden naar Cork of Dublin. Maar als ik erin zou slagen om in een van die twee plaatsen te komen, dan had ik geld nodig voor de boot naar Engeland. En ik wist waar ik geld kon vinden. Het waren allemaal idiote gedachten, maar ze hielden me op de been.

Ik moest even wachten om een paar mensen op straat voorbij te laten voordat ik uit het steegje tevoorschijn kwam en overstak naar ons huis. De trap leek de Mount Everest wel, zo lang duurde het voor ik boven was. Ik duwde de deur van Jimmy's kamer zachtjes open. Er kwam net genoeg licht van de straat om te zien dat hij met zijn gezicht naar het raam lag... en om de grote Mexicaanse sombrero te zien, bovenop de kleerkast.

Ik had hem in mijn handen toen Jimmy zich bewoog en zijn hoofd met een ruk omdraaide. Hij was klaarwakker. Toen hij de sombrero zag, keek hij weer weg.

"Ik heb problemen, Jimmy," zei ik met een hoge stem die niet van mij was, terwijl ik het pak bankbiljetten in mijn zak propte. "Ik stuur je het geld terug."

Hij zei niets. Hij tilde alleen zijn hand op naar zijn mond, nam het kunstgebit eruit en deed het in het glas water naast zijn bed. Het water werd langzaam rood.

Ik scharrelde achterwaarts de kamer uit. Ik wist dat ik verloren was, voor altijd verloren, en het speet me diep dat ik Jimmy met me had meegesleurd. Ik donderde zwaar van de trap, opende de voordeur en stond daar.

Hoe vaak had ik niet gewenst dat ik nooit meer terug hoefde te komen naar dit huis? Ik dacht aan mam. Had zij gedacht wat ik nu dacht toen ze die laatste keer vertrok? Dat je je angst niet kunt achterlaten? Dat die met je meegaat, waar je ook naartoe gaat? Daarom schreef ze misschien nooit. Ik sloot de deur achter me, zachtjes.

Het station lag op vijf minuten lopen, als je twee goede benen had. Ik deed er twintig minuten over. Ik wachtte in de schaduw op een trein waarvan ik niet eens zeker wist of die hier zou stoppen.

149

De sporen die naar het station leidden, brachten alleen maar wat gure wind. Ik ging schuilen in een telefooncel onder de boog van de metalen voetgangersbrug. Na een tijdje nam ik de hoorn op en verbaasde me erover dat hij het deed. Toen ik de losse muntjes uit mijn zak opviste, voelde ik dat ik voor één keer in mijn leven eens geluk had, maar ik geloofde niet dat het lang zou duren. De klok op het perron aan de overkant wees halfeen aan.

Ik draaide de eerste drie cijfers van Nances nummer en stopte toen. Het had geen zin om Nance hierin mee te slepen. Ik hield nog altijd van haar en ik wilde haar niet nog meer pijn doen dan ik al had gedaan.

Toen bedacht ik dat ik nog één fatsoenlijk ding kon doen, voordat ik ontsnapte of gevat zou worden. Snipe lag te sterven in een laan in het Valera park. Hij was een schooier, maar niemand verdiende wat ik hem had aangedaan. Ik zou om hulp bellen. Dus belde ik dokter Corbett, oké?

Nee, ik belde de zogenaamde student medicijnen, Rode Kruisdeskundige en vriendinnenpikker himself. Ik belde Seanie Moran.

Nance

"Het is bijna zeven uur, Nance," zei Tom beschuldigend toen ik door de keukendeur binnenkwam. "We waren ongerust over je, we dachten..."

Hij zat aan de keukentafel. Niets wees erop dat ze gegeten hadden. Deze keer had ik ze niet verteld waar ik heen ging en had ik geen uitvluchten verzonnen.

Ik vulde de ketel en bereidde me voor op de vragen die ik moest stellen. Toen ik tegenover Tom zat, luisterde ik naar het zuchtende gejammer van het kokende water. Als ik terug dacht aan de scène met OD was er alleen een doffe pijn. Ik voelde niets. Ik had het gevoel dat niets mij nog meer pijn kon doen dan de pijn die mij al was aangedaan.

"We hebben een telefoontje gehad," zei hij rustig. "Van Heather Kelly."

Ik had ongelijk wat de pijn betreft. Verraad wordt nooit makkelijk te verdragen.

"Ze had het recht niet om dat te doen," zei ik.

"Misschien niet. Maar ze deed het voor jouw bestwil... en voor die van ons."

Ik had er behoefte aan om ook wat pijn uit te delen.

"Je hebt haar gedumpt, is het niet?"

"Zo zou je het kunnen zeggen, denk ik," gaf hij met gebogen hoofd toe. "Dus je hebt een foto van Chris gevonden?"

"Ja, en ik heb zijn naam van een vreemde moeten horen. Waarom heeft ze de foto daar laten liggen zodat ik hem kon vinden?"

"Nance, ik wist tot vanmiddag zelfs niet dat ze hem had. Nadat Heather gebeld had."

De manier waarop hij over de foto sprak schokte me, alsof het een geheim was dat May voor hem verborgen had gehouden.

"May is er nogal slecht aan toe," zei hij.

"En ik dan? Hoe denk je dat ik me voel?"

"Ik weet het, ik weet het... maar May is... erg in de war... erg..."

Hij had er nog nooit zo enorm verslagen uitgezien. Toch ben ik degene die ze jarenlang in het duister hebben laten tasten, dacht ik kwaad.

"Je wilt dat ik me schuldig ga voelen," zei ik. "Jullie zijn het zelf, jij en May, jullie hebben tegen me gelogen."

Tom zonk dieper weg in zijn stoel. Nu alle kleur uit hem was weggetrokken, zag hij er zo oud uit dat het erg vreemd leek dat hij een lichtblauw trainingspak aanhad.

"Kon je het maar begrijpen, Nance," pleitte hij, "we waren nog zo jong en zo naïef. Ik was drieëntwintig. May was nauwelijks eenentwintig. We hadden geen plan, geen idee hoe we je het hele verhaal zouden vertellen. We hadden je moeten... voorbereiden toen je jonger was, maar... we konden er nooit toe komen om je jeugd te bederven."

"Dat weet ik allemaal. Ik weet dat jullie me niet wilden kwetsen."

Daar knapte hij een beetje van op. Zijn glimlach was dankbaar.

"We deden het allemaal om jou gelukkig te maken, Nance. We hadden het helemaal mis, dat moet je geloven."

"Dat doe ik," zei ik. "Vertel me nu alleen wie mijn moeder was, dan kun je daarna weer net doen of ik het niet gevraagd heb en of ik zei dat alles in orde was. Ik weet dat ze dood is en ik ga haar familie niet zoeken of zoiets. Misschien als ik ouder ben. Ik heb mijn familie, jou en May... Was het die Amerikaanse vrouw op de foto?

"Nee," zei hij, "die verdomde junkies vernietigden..."

152

Hij begroef zijn hoofd in zijn handen en zijn verdriet was verschrikkelijk om aan te zien. Ik kwam naar de andere kant van de tafel, bang, maar tegelijkertijd wilde ik weten wie ze hadden vernietigd. Ik legde mijn arm om zijn schouder, dat was gemakkelijker voor mij, maar ook voor hem. Het leek bijna of mijn aanraking de waarheid uit hem trok. Maar niet de waarheid die ik verwachtte.

"May is je moeder, Nance," fluisterde hij, "je natuurlijke moeder. Ga naar haar toe. Alsjeblieft."

Ik deed het niet. Ik kon het niet. Ik ging naar mijn kamer en vroeg mezelf, telkens opnieuw, waarom ze niet kon toegeven dat ze mijn moeder was. Ik voelde een angst die even verschrikkelijk was als mijn voortdurende nachtmerrie en ik merkte dat ik probeerde Amerikaanse accenten te plaatsen op de harde stemmen die ik zo vaak had gehoord in die duistere droom. De accenten pasten niet echt; maar ik wist dat die Amerikanen de sleutel tot het geheim van mijn verleden in handen hadden.

Ik hoorde Tom zachtjes de trap opkomen. Hij probeerde allebei onze deuren, de mijne en die van May. Ze waren beide op slot. Hij bleef lang op de overloop staan. Ik hoorde hem niet naar beneden gaan, maar na een tijdje wist ik dat hij weg was.

Het huis was een lege kerk vol echo's van niets. Was het schaamte? vroeg ik mijzelf. Kwam het daarop neer? Schaamte over haar halfbloed kind, over mij? Was ik uiteindelijk toch iemands 'misstap', niet die van Heather zoals ik had gedacht, maar die van May? Of kwam de schaamte door iets anders? Iets wat te maken had met die Amerikaanse junkies, die drugsverslaafden? Was May daarbij betrokken geweest? Het leek haast onmogelijk.

Toen gebeurde er iets vreemds. Ik zei tegen mezelf: de telefoon gaat zo - en hij rinkelde.

Ik had er geen idee van wie het zou kunnen zijn, maar dat deed

er niet toe. Ik moest er eerst naartoe en met iemand, zomaar iemand, spreken. Niet over mijn schokkende ontdekking, maar over
van alles, iets heel alledaags waardoor ik kon geloven dat het leven
op een bepaalde manier toch weer normaal kon verlopen.

Pas toen ik bij de telefoon kwam, bedacht ik hoe laat het al
moest zijn. Tom was niet verschenen en ik nam aan dat hij weg was
gegaan, om uit dit huis te ontsnappen. Ik vroeg me af of het
Heather Kelly was die belde om te vragen of alles goed was gekomen. Ik liet de telefoon nog wat langer bellen, in de hoop dat het
gewoon zou stoppen - mijn zin om te praten was verdwenen. Hoe
langer het duurde, hoe dringender het bellen leek te worden. Ik
nam op.

"Nance, ik ben het. Seanie."

Zijn stem klonk zacht, effen, maar dringend. Het laatste wat ik
nodig had waren verwikkelingen en dat wilde ik net gaan zeggen.

"Nance, ik kreeg een telefoontje van OD. Hij is op het station.
Hij denkt dat hij Snipe misschien wel vermoord heeft."

De eerste stomme gedachte die bij me opkwam, was dat OD
mij niet had gebeld. Toen werd ik getroffen door het woord 'vermoord'. Ik wilde gillen: nee!

"Ga je met me mee naar het station?" vroeg hij.

OD had altijd op het randje geleefd, dus hoefde ik eigenlijk
helemaal niet zo te schrikken. Maar had ik hem er nu overheen
geduwd, met die klap in zijn gezicht? Alsjeblieft, dacht ik, laat het
niet mijn schuld zijn. Laat het alsjeblieft niet waar zijn dat Snipe
dood is.

"Luister, Nance, ik moet gaan. Iedere seconde telt. Kom je of
niet?"

"Ja," zei ik, "ja, ik kom."

De verbinding werd verbroken. Ik legde de hoorn neer. Ik
pakte een jas en een sjaal. Ik ging door de achterdeur naar buiten

zodat May de voordeur niet zou horen dichtgaan. Als ze dat nog belangrijk vond. Ik was al bijna de hoek om naar de weg, toen ik Tom zag liggen in een van de witte plastic tuinstoelen, midden op het gazon achter het huis. Ik ging over het natte gras naar hem toe.

Ondanks de kou was hij in slaap gevallen. Ik dacht dat hij al zolang niet geslapen had dat de vermoeidheid hem te veel was geworden. Ik glipte uit mijn jas en legde die lichtjes over hem heen. Toen ik me omdraaide om een laatste blik op hem te werpen zag ik dat ik, zonder het te merken, May's jas had aangetrokken. Haar sjaal ook. Ik hield de sjaal om. Die had ik nodig.

Toen ik weer in huis was, pakte ik een andere jas, een van mijn eigen corduroy jasjes. Toen ik bij het hek aan de voorkant kwam reed Seanie net voor in zijn Morris Minor. Het enige wat ik kon zeggen was: "Waarom heeft hij jou gebeld, Seanie?"

"Ik weet het niet, Nance," zei hij. "Ik begrijp er niets van. Maar hij klonk slecht, echt slecht. Ik hoop alleen maar dat hij er nog steeds... dat hij er nog is als we..."

Ik wist wat hij wilde zeggen en ik dacht kwaad dat het echt iets voor OD zou zijn om de onnozele martelaar uit te hangen en op de sporen op de trein te wachten, zonder erbij na te denken hoe dat uit kon pakken voor ons.

Het duurde niet lang voor we bij het station waren. Ik was niet bang, tenminste, niet voor mezelf. Ik voelde me te verdoofd.

OD zat stijf rechtop op een bank op het perron, als een blinde die dag en nacht met elkaar verwisseld heeft en die zit te wachten op een trein die nooit komt. Ik wist zeker dat hij ons niet had gezien in zijn trance, maar toen we vlak bij hem waren wist ik dat zijn ogen ons de hele weg naar het perron hadden gevolgd. Toen sloeg hij ze neer.

Van ons drieën kon alleen Seanie helder genoeg denken om te praten.

"Waar is Snipe?" vroeg hij aan OD.

"In het steegje tegenover ons huis."

"Kom op dan, we moeten ons haasten," zei Seanie.

OD had nog steeds niet opgekeken van het perron.

"Gaan jullie maar," zei OD, "ik wacht op de trein."

Toen ik dat oude melodramatische zelfmedelijden in hem weer zag, ontplofte ik.

"Je hebt nog nooit in je leven iets onder ogen gezien, OD," snauwde ik. "Waarom zou je er nu dus mee beginnen? Kom op, Seanie."

Maar Seanie volgde geen orders op. Hij pakte OD's arm stevig vast en trok hem van de bank. OD keek hem strak aan en ik verwachtte een gevecht.

"Ik kan niet lopen," zei OD hulpeloos. "Mijn knie heeft het begeven."

"Je kon hier toch naartoe komen, OD," zei Seanie tegen hem, "dan kun je ook wel tot de auto lopen."

Seanie draaide zich om en liep langs me. OD volgde hem en sleepte met zijn pijnlijke been of het een straf was. Ik volgde OD en we wurmden ons in de Morris Minor, OD achterin, alleen.

Toen Seanie ons naar het Valera park bracht, vertelde OD ons kalm, zonder zijn woeste gedrag te willen rechtvaardigen, waarom hij Snipe in elkaar had geslagen. Als Seanie en ik zijn gerechtelijke jury waren geweest, dan was hij vrijgesproken. Zelfs toen ik dit bedacht, wist ik dat het betekende dat ik iets aanvaardde waarvan ik nooit gedacht had dat ik het zou kunnen aanvaarden. Dat het niet zo is dat geweld nooit te rechtvaardigen valt. Het was een beangstigende en gevaarlijke conclusie en OD zelf was het er niet mee eens.

"Het was fout, punt uit," zei hij. "En het wordt nog erger... wat ik Jimmy heb aangedaan."

156

Ik dacht dat niets van wat hij kon zeggen me zou shockeren, totdat hij vertelde dat hij Jimmy's geld had gestolen en over dat afschuwelijke rode waas in het glas water. De jury stond niet meer aan OD's kant.

We kwamen bij de ingang van het steegje. Toen Seanie het portier aan de bestuurderskant opende zei OD, en het leek hem niet te kunnen schelen dat Seanie het kon horen, tegen me: "Nu zul je me wel haten. Je zult me voor altijd haten als je eenmaal hebt gezien wat ik heb gedaan."

Seanie hielp OD uit de wagen en we kwamen van het gele licht van de straat in het halfduister van het steegje.

"Help hem, Nance," zei Seanie, "ik zal voorop gaan."

Ik sloeg mijn arm om OD's middel en voelde hoe hij beefde. Hoe vaak hadden we niet in elkaars armen gestaan in dat steegje? Hoe hadden we ons ooit kunnen voorstellen, toen we elkaar kusten, dat het zover zou komen?

"Hij ligt achter het huis van Donovan," riep OD Seanie gesmoord fluisterend na.

Ik kende de muur van Donovan omdat we vaak genoeg hadden gelachen om de boodschap die er in rode letters opgespoten stond. 'Jim Donovan is een stomert, geteekent Larry Donovan.' Het leek niet erg grappig meer.

Seanie liep verder de bocht van het steegje om en OD struikelde zodat het me moeite kostte om hem vast te houden. Het was toch al een zware inspanning, omdat ik op een bepaalde manier het gevoel had dat het niet OD was, die ik vasthield.

Seanie was direct weer terug.

"Hij is er niet," zei hij. "Weet je zeker...?"

OD trok zich van me los en staarde ongelovig het steegje in.

"Ze hebben hem al gevonden, de agenten," schreeuwde hij. "Wat moet ik nu doen?"

"Als ze hem hebben gevonden en hij was... als het ernstig was, zou de plaats met linten zijn afgebakend," zei Seanie. "Hij moet het tot thuis hebben gehaald. Of iemand anders heeft hem gevonden."

"Beano!" zeiden OD en ik tegelijkertijd.

Opeens verdween de spanning uit OD, samen met de gebalde vuisten en de samengeklemde kaken. Hij zag er weer uit als de OD die ik me het liefst herinnerde, degene die ik me had ingebeeld was voor altijd verdwenen, op zijn gemak en die trek van lachend optimisme die ik zo cool vind, was er ook weer.

"Ik ga naar het huis van Snipe om erachter te komen of hij in orde is," zei hij. "Daarna geef ik mezelf aan. Dat moet ik toch doen, hè Nance? Seanie?"

"Ja," was Seanie het met hem eens. "Maar ik heb niet het recht om dat te zeggen."

"Dat had je niet, Seanie, maar nu heb je het wel," zei OD. "Wil je me nog een laatste dienst bewijzen? Breng je me naar de politie als ik met Beano heb gepraat?"

"Natuurlijk."

We hielpen hem de straat over, op weg naar Snipes huis. Mijn arm lag nog steeds rond zijn middel en hij voelde warmer en zachter aan. Toen ik hem moest laten gaan bij het hek, dacht ik dat ik zou instorten. Ik dacht aan Jimmy en redde mezelf.

"Hoe zit het met Jimmy?" vroeg ik.

"Jimmy is beter af zonder mij," antwoordde OD. "Wil jij hem helpen om zijn trompet te krijgen, Nance? Zorg ervoor dat hij hem krijgt, oké?"

"Natuurlijk doe ik dat," zei ik, al begreep ik wel dat er geen trompet zou zijn als OD naar de gevangenis moest. Jimmy kocht de trompet nooit voor zichzelf. Hij deed het voor OD, om te bewijzen dat er een weg terug is, hoe diep je ook gevallen bent.

"Die brief die je me gestuurd hebt," zei OD. "Je hebt me nooit verteld wat je uit moest zoeken. Niet dat ik zo slim was om het te vragen. Ben je eruit gekomen?"

"Nog niet," moest ik toegeven. Maar hij had al genoeg om zich rot over te voelen, waarom zou ik hem nog meer belasten? "We zullen erover praten... later."

Hij leunde tegen de paal van het hek om het gewicht van zijn been te nemen en trok me langzaam naar zich toe, bang dat ik zou weigeren.

"Ik hoop dat we genoeg tijd zullen hebben om te praten," zei hij en kuste zachtjes mijn voorhoofd.

Ik merkte wat lichte beweging achter gesloten gordijnen van een kamer boven. Ik wist zeker dat het Snipes schaduw was die ik erlangs zag lopen, maar ik zei er niks van. Ik wilde OD's hoop niet aanwakkeren. Het monster in hem spookte nog steeds door mijn hoofd en ik kon zijn kus niet beantwoorden. Ik wist dat hij het begreep. Hij lachte treurig. Hij keek van mij naar Seanie en weer terug.

"Nance, jullie twee moesten... jullie zouden goed bij elkaar passen."

"Doe niet zo raar, OD," zei Seanie, "ze ziet je nog altijd graag."

Hij was niet boos. Hij leek weer op de oude Seanie die we van school kenden, die op een objectieve, gevoelloze manier feiten opsomde.

"Zeg het tegen hem, Nance," ging hij verder. "Je weet dat het waar is. En ik vind dat prima want..."

OD keek verbijsterd. Hij keek zoals ik me voelde.

"Ik kan het niet... na alles wat je voor me hebt gedaan," zei ik. "Ik weet dat je verkering met me wilde en ik heb je gewoon laten vallen."

159

OD leek op een toeschouwer bij een tennismatch. Hij draaide zich naar Seanie.

"Ik wilde geen verkering met je, Nance," zei Seanie. "Ik heb een keer geprobeerd om het uit te leggen, maar..."

Drie woorden van Seanie, een zucht van opluchting bijna, en wij stonden sprakeloos.

"Ik ben homo."

Hij glimlachte. Ik dacht dat hij in lachen zou uitbarsten.

"Ik heb het nog nooit aan iemand verteld."

"Maar je voetbalt... je bent..." stamelde OD.

"Ik zou niet de eerste nicht zijn die voetbalt, OD."

Op de een of andere stomme manier voelde ik me bedrogen, beschaamd over wat ik mij had ingebeeld over hem en mij. Maar ik was ook onder de indruk, van zijn eerlijkheid en zijn moed.

"Maar waar ging het dan over tussen ons?" vroeg ik.

Hij haalde zijn schouders op. "Ik had behoefte aan vriendschap en jij ook." Hij keerde zich om naar OD. "Luister, je kunt er beter naartoe gaan. Wij zullen in de auto wachten... als je dat niet erg vindt tenminste, Nance."

"Doe niet zo gek," zei ik.

We liepen terug naar de auto toen OD over het pad naar het huis strompelde. Ik vertelde Seanie wie mijn moeder was. Ik vond dat hij het verdiende om het te weten en ik wist dat mijn geheim bij hem veilig was. Hij was gewend aan geheimen.

Hij zei: "Nance, laten we een verbond sluiten."

Ik ging akkoord. Hij zou met zijn ouders gaan praten. Ik zou naar May gaan. En luisteren.

OD

Hoe had ik kunnen verwachten dat Beano niet veranderd zou zijn tegenover mij? Toen hij de gang inkwam, klampte ik me nog steeds vast aan die dwaze hoop. Eén blik in die boze ogen en alle hoop werd de bodem ingeslagen. Ik wist natuurlijk wel dat hij nooit zou begrijpen waarom ik zijn vader in elkaar had geslagen, maar het was nog erger dan dat. Hij had mijn masker van vriendschap doorzien en het herkend voor wat het was. Medelijden, de ergste vorm van liefdadigheid.

"Het spijt me," zei ik.

"Laat ons met rust."

"Ik was zo kwaad over wat hij je had aangedaan, Beano. Ik weet dat het geen excuus is, maar..."

"Je ramt mijn vader in elkaar omdat je iedereen haat, omdat je denkt dat het allemaal hun schuld is dat je niets voorstelt. Net als ik."

"Jij bent geen..."

"Ik heb jou niet nodig om me te vertellen wat ik ben," riep hij in het donker van de nacht. "Je bent mijn vriend niet, nooit geweest ook. Je dacht dat je een soort kinderoppas was of zo. Nu, ik heb geen kinderoppas nodig."

Jack Nicholson was er niet en ook geen door elkaar gehaspelde geleende zinnetjes. Dit was de echte Beano. Een volslagen vreemde voor me.

"Is hij in orde?" vroeg ik. "Je ouwe... je vader?"

"Met hem komt het wel weer goed," zei Beano. "Je bent nog niet half zo sterk als je wel denkt."

"Ik weet het, Beano, maar Seanie is erbij. Als Snipe schrammen of zoiets heeft, dan kan Seanie hem verzorgen."

"Hoepel op, jullie allemaal," zei hij en begon zich weer op te winden. "Wij hebben niemand nodig. We blijven bij elkaar. Wij Doyles."

Het licht van de naakte gloeilamp in de gang scheen op zijn wilde, witte piekhaar. Het leek wel een stralenkrans boven zijn onaardse gezicht. Lichtend stond hij voor me, deze vreemde niet-vergevende engel en beantwoordde mijn ellendige tegenwerpingen met een wrede klaarheid.

"Maar hij mag je die dingen niet meer aandoen."

"Net of ik kan kiezen," zei hij. "Je weet hoe de mensen naar me kijken, hoe ze me voor een zwakkeling houden. Heb je me ooit al met een meisje gezien? Welk meisje geeft er nu om zo'n mannetje als ik? Ik heb niemand, alleen mijn vader en mama. Jullie allemaal, jullie gaan gewoon je eigen gang. Laat me met rust... en hen ook. Zij zijn alles wat ik heb."

"Ik ga mezelf aangeven, Beano," zei ik en probeerde de held uit te hangen, die zich opoffert voor hem, voor zijn vriend. "Ik ga nu naar de politie."

"Verspil je tijd daar niet mee," zei hij tegen me, "mijn vader is gevallen toen hij thuiskwam uit de pub, dat is alles. Daar, bij het hek. Ik zag hem vallen omdat ik hier bij de deur op hem stond te wachten."

"Beano! Hij zei dat je dat moest zeggen alleen maar om zichzelf te beschermen!"

"Nee, ik zag het met m'n eigen ogen."

"Beano, dit laat ik je niet doen," zei ik. "Ik ga naar die agenten en vertel ze de waarheid over mezelf en over wat Snipe je heeft gedaan."

"Dat heb ik allemaal verzonnen... nadat jij me de drugs hebt gegeven, OD. Dat zal ik de agenten vertellen als je mijn vader verlinkt."

"Beano, alsjeblieft..."

"Doe geen moeite om nog langs te komen, OD," zei hij toen hij de deur sloot. "Je denkt dat dit allemaal zijn idee is, hè? Die arme, domme Beano zou zoiets nooit kunnen verzinnen."

Ik liep weg van de deur. Ik was weer vrij, maar het voelde niet zo. Ik hinkte naar de auto, liet mezelf lijden, bonkte met mijn voet op de grond om de snijdende pijn door mijn knie te voelen sidderen. De pijn kon de smart van wat ik dacht niet verbergen.

Zou Jimmy me ook afwijzen? Zou hij mijn verontschuldigingen en excuses even beslist en bitter negeren als Beano had gedaan? Ik dacht dat ik niet verder kon. Overgave zou gemakkelijker zijn geweest.

Seanie draaide het autoraampje naar beneden. Ze zaten me allebei aan te kijken of ik een drenkeling was. Ik vertelde hen wat Beano gezegd had. Daarna viel er niet veel meer te zeggen. Ik dacht aan Jimmy en werd steeds banger om hem onder ogen te komen.

"Komen jullie mee voor een kop thee of...?" vroeg ik.

Mijn stem barstte. Breek nu niet, schreeuwde ik tegen mezelf. Toen klonk er een echo die antwoordde. 'Wees voor één keer in je leven eens eerlijk,' zei hij, 'en neem de hand die ze je reiken.'

"Ik kan niet alleen naar Jimmy," gaf ik toe. "Vijf minuten?"

Toen we naar binnen gingen, voelde ik opeens het pakje bankbiljetten dat diep in mijn zak zat weggestopt en dat tegen mijn dij duwde. Ik trok het eruit en staarde naar het bewijs van mijn misdaad. De biljetten vielen open en door wat ik zag, had ik zin om over te geven. Tussen de verkreukelde vijfjes en tientjes zat de bruine envelop met mijn gedicht. De potloodlijnen waren al aan het vervagen, maar Jimmy had mijn naam en de datum waarop ik het gedicht had geschreven, met een vlekkerige pen onder de vier regels gekrabbeld.

"Wat is dat?" vroeg Nance. Ik kneep nog wat steviger in de envelop.

"Iets wat ik heb geschreven," zei ik. "Ik kan bijna niet geloven dat hij het bewaard heeft. Ik had het in de haard gegooid toen ik het af had. Ik dacht dat hij het had weggegooid, samen met de as."

"Een gedicht?"

"Ja. Hij had het moeten wegsmijten. Het is rommel."

"Mag ik het zien?"

Ik gaf haar de enveloppe en ze las mijn gedicht een paar keer door. Toen las ze het gedicht tot mijn verbazing hardop voor. Het leek iets nieuws te worden toen zij het las. Ik hoorde muziek en een ritme waarvan ik niet wist dat ze erin zaten.

Hand in hand met de Glazen Druïde,
Roepende tot de staande stenen,
Kunnen de mannen en vrouwen niet met me spreken;
Stemmen als de mijne, zonder klank, zonder lied.

Ze wilde me de verkreukelde envelop teruggeven.

"Ik hoef dat stomme ding niet meer," zei ik, hoewel het niet waar was.

"Het is goed, het is echt goed," zei ze tegen me.

"Het is alleen maar zelfmedelijden," zei ik, "ikke, ikke, ikke."

"Het gaat over ons allemaal," zei Seanie. "Ik wou dat ik zo kon schrijven."

De hoop vlamde weer in alle hevigheid op en ik begon te denken: ja, ik kan het! Misschien had ik het niet helemaal juist met dat gedicht, maar op een bepaalde manier was het goed op het moment dat ik het schreef. En als ik al zoveel goed kon doen, wat hield me dan tegen om de rest van mijn leven ook goed te doen?

"Ik zal de ketel opzetten en tegen Jimmy zeggen dat ik terug ben," zei ik. "Wacht even tot ik dit achter de rug heb, goed?"

"Ik zet wel thee," zei Nance, "ga maar."

Mijn tred op de trap was licht, ondanks mijn pijnlijke knie. Ik voelde me een kind dat naar zijn vader rent met een prijs die het gewonnen heeft. Zijn deur stond nog steeds wijdopen na mijn overhaaste vertrek van daarstraks. Hij lag, zoals altijd, met zijn gezicht naar de muur. Hij leek zo diep te slapen dat ik aarzelde om hem wakker te maken. Toen besloot ik dat ik het aan hem verplicht was: ik wist dat hij nooit meer wakker wilde worden en ik wist dat dat mijn schuld was.

Ik schudde zachtjes aan zijn schouder.

"Jimmy," fluisterde ik, "ik heb het geld teruggebracht. Alles is opgelost, Jimmy."

Ik gaf hem de tijd. Ik probeerde niet boos te zijn, niet te denken dat hij deed alsof, alleen maar om niet met me te hoeven praten, maar hij werd nog steeds niet wakker. Toen boog ik me over hem heen om te zien of zijn oogleden knipperden. Zodra ik zag dat zijn kaak er zo slap bij hing, wist ik dat er iets ernstig mis was.

Ik nam zijn hoofd tussen mijn handen en draaide het zachtjes naar me toe. De ongeschoren wangen voelden ruw aan tegen mijn handpalmen. Een geluid ergens tussen een zucht en een kreun ontsnapte aan zijn lippen. Ik liet hem los en zijn hoofd viel terug in het kussen.

Toen ik de eerste keer probeerde te roepen kwam er geen geluid. Ik hapte naar adem. Ik draaide me om naar de deur en mijn knie begaf het. Ik viel op de grond en perste een schreeuw naar buiten.

"Nance! Seanie!"

Ze vonden me kruipend over de vloer. Nance knipte het licht aan en heel even was ik verblind. Toen ik mijn ogen opende, stond Seanie bij Jimmy. Hij tilde Jimmy op en in het meedogenloze licht zag ik het gezicht van een oude man.

"Hij gaat dood," riep ik uit, "en hij zal nooit weten dat ik ben teruggekomen."

"Nance, zorg voor een dokter," zei Seanie, "en een ambulance. Het is zijn hart."

Seanie knielde op het bed en scheurde het pyjamajasje van Jimmy's borst. Ik kon het niet meer aan. Op handen en voeten kroop ik naar de overloop. Ik jammerde, schreeuwde, smeekte om vergiffenis, sloeg met mijn hoofd tegen de muur, vertelde Jimmy dat hij zijn trompet zou krijgen en vroeg hem huilend of hij nog niet wilde gaan.

Toen kwam het huis tot leven doordat mensen de trap op en af holden. En Nance raapte me op van de overloop, waar ik mijzelf in de hoek tot een bal in elkaar had gerold.

"Hij komt er weer bovenop, OD," zei ze. "Je moet met hem mee in de ambulance."

Ik voelde me een zombie. Ik kon niet spreken. Alles wat ik kon was haar op de trap naar beneden volgen. Seanie stond bij de deur, zijn haar nat van het zweet. Ik greep zijn hand. Dat was alles wat ik kon doen om hem te bedanken. Nance ging met me mee naar de ambulance. Toen ik naar binnen klauterde zei ze: "Bel me als je thuiskomt. Geeft niet hoe laat het is, oké?"

Ze leek te vervagen door het waas voor mijn ogen.

"Seanie had gelijk," zei ze. "Ik hou nog steeds van je. Misschien..."

Een verpleegster naast me haalde het trapje op in de ambulance en trok de deuren dicht. Ik praatte de hele weg tegen Jimmy, hoewel hij bewusteloos was en bedekt met een zuurstofmasker. De verpleegster dacht misschien dat ik gestoord was, maar ik weet zeker dat ze het allemaal al eens eerder had gezien. Plannen voor hem, plannen voor mij. Een trompet aanschaffen, een bende oude rockers zoals hijzelf opzoeken, weer gaan optreden - 'pas op, Jimmy, geen drank!' - een paar nieuwe kleren - 'misschien zelfs een zwart fluwelen pak, wat denk je, Jimmy?' En ik. Terug naar de boeken, de school, hoofd naar beneden en schrijven - 'ik ben geen Dylan Thomas, maar ik heb iets, ik weet het, Jimmy! Seanie zei het en Nance ook.' Nance - 'zou het kunnen, Jimmy? Zouden we opnieuw kunnen beginnen, Nance en ik? Jij en ik?'

Ik deed heel erg mijn best, maar ik geloofde nog steeds dat het allemaal mijn schuld was. Tot enige tijd later, uren later, toen de lucht buiten de ziekenhuiswachtzaal al lichter begon te worden en er een dokter kwam in een witte jas, die me een hele hoop vragen begon te stellen over Jimmy. Eerst was ik kwaad op hem omdat mijn gebrekkige antwoorden aantoonden hoe weinig ik de laatste tijd om Jimmy had gegeven.

"Wanneer heeft je vader voor het laatst alcohol gedronken?"

"At hij regelmatig?"

"Merkte je iets van desoriëntatie? Zijn evenwichtsgevoel, zijn..."

"Ja, ja, dat heb ik gemerkt," zei ik. "Maar waarom? Waarom vraagt u me al die dingen? Is het erg of niet?"

De dokter, een jonge man, had het waarschijnlijk ook allemaal al eens eerder gezien. Hij wachtte tot ik gekalmeerd was voordat hij verder ging.

"Met je vader komt alles weer goed, dankzij die jongeman, Sean, is het niet?" zei hij. "Ik probeer de diagnose te bevestigen, de oorzaken waarom je vader leed aan dit... dit trauma."

Ik verborg mijn gezicht voor hem.

"Ik weet wel waarom. Ik heb hem dit aangedaan. Ik..."

"Je vaders hartaanval werd veroorzaakt door ondervoeding. Ik vraag me af waarom... waarom hij gestopt kan zijn met eten. We kunnen geen lichamelijke oorzaak vinden."

Ondervoeding! Het woord leek niet meer te passen bij het einde van de twintigste eeuw, toch niet in Ierland, hoogstens als je een ernstige reden had zoals Bobby Sands, maar toch niet voor zo'n verdomde trompet? Toen wist ik opeens dat zelfs een gedeukte trompet het soms waard is om tot het uiterste te gaan. Met een vreemde mengeling van opluchting en zwaar, zwaar verdriet keek ik hem aan: "Om een trompet. Om mij."

Om een uur of zeven 's ochtends kwam het ziekenhuis langzaam tot leven, met het geratel van karren en het gepiep van de rubberzolen van de verpleegsters die weerklonken in de brede, groene gangen. Ze brachten me thee en wat geroosterd brood, maar het brood raakte ik niet aan. Ik vroeg om een telefoon en even na achten belde ik Seanie om hem fatsoenlijk te bedanken. Zijn antwoorden kwamen snel, maar zijn stem klonk vermoeid.

"Met OD," zei ik, "heb ik je wakker gemaakt?"

"We zijn niet naar bed geweest," zei hij. "Hoe gaat het met Jimmy?"

"Ik mocht nog niet bij hem, maar hij is in orde, zeiden ze. Als jij er niet was geweest, Seanie..."

Toen snapte ik wat hij net gezegd had over niet naar bed geweest zijn.

"Heb je met je ouders gepraat? Over... over je weet wel."

"Ja, ik heb het tenminste geprobeerd."

"Ging het niet zo goed?"

"Dat kun je wel zeggen."

Ik wist niet wat ik tegen hem moest zeggen. Het stond allemaal te ver van me af, en om eerlijk te zijn voelde ik me, zelfs als ik met hem praatte, al ongemakkelijk, ondanks wat hij voor Jimmy had gedaan. Wat helemaal niet kon. Hij verdiende beter en dat wist ik.

"Seanie? Herinner je je het gedicht dat ik schreef?" zei ik. "Er is nog een tweede strofe, waarin de staande stenen leren spreken.

168

Een paar, in elk geval."

"Ik hoop dat je gelijk hebt, OD," zei hij.

"Ik hoop het ook, Seanie."

"Tussen haakjes, St. Peter heeft zijn wedstrijd verloren. Wij hebben de competitie gewonnen."

Het leek er niet veel meer toe te doen. Niet voor hem, niet voor mij.

Ik hoefde niet lang meer te wachten om Jimmy te zien. Bij de deur van de Intensive Care-afdeling fluisterde de zuster: "Vijf minuutjes. We willen hem niet te veel vermoeien."

Ik opende de deur en ging naar binnen. Naar mijn vader.

Nance

Ik opende de deur en ging naar binnen. Naar mijn moeder. De deur, die niet op slot was, leek een mogelijkheid te bieden voor een nieuw begin. Maar niet voordat ik het einde van ons verhaal had vernomen en de stilte tussen ons voorbij was. In haar kamer was het kouder dan buiten op straat. Bij het zwakke licht van het lampje naast haar bed zag ik dat haar donkere haar in de war zat en dat haar ogen rood en gezwollen waren. Ik dacht eraan om op het bed te gaan zitten, maar in plaats daarvan ging ik op de stoel ernaast zitten. Ze keek naar me op, als een diertje naar de jager die gekomen is om het af te maken.

Van beneden hoorde ik de onverwachte geluiden van Tom, die aan het rommelen was. Ik had hem niet gezien toen ik binnenkwam en dacht dat hij naar bed was gegaan in de logeerkamer. Ik hoorde het lawaai van de centrale verwarming die aanslaat, en ik wist dat hij vastbesloten was om de dingen in huis weer normaal te laten verlopen, wat er in de komende tijd ook mocht gebeuren tussen May en mij. Het gerammel van pannen en aardewerk dat uit de keuken kwam bevestigde dat gevoel. Hij kan niet geweten hebben hoe heerlijk die dagelijkse geluiden in mijn oren klonken, zelfs midden in de nacht.

"Nu zul je me voor altijd haten, Nance," zei May. Ik was verbaasd de echo van OD's woorden uit haar mond te horen.

"Nee, dat doe ik niet," verzekerde ik haar. "Ik wil alleen maar begrijpen waarom je het me niet verteld hebt. Of waarom Tom het niet deed."

May ging voorzichtig rechtop zitten, ze trok haar knieën op en klemde haar armen eromheen.

"Het is Toms schuld niet," zei ze. "Hij wilde het je lang geleden al vertellen, maar ik niet. Ik dacht dat als ik deze... deze last voor je zou kunnen dragen, dat het dan voorbij zou gaan zonder dat je het ooit zou weten. Je moet me geloven, Nance, ik wil alles voor je doen, zelfs ontkennen dat ik je natuurlijke moeder ben."

Ze trok haar armen dichter om haar knieën en ontspande toen haar greep. Ze leunde achterover in de kussens.

"Het lijkt nu zo stom. Ik weet dat je het misschien zelfs niet begrijpt. Ik was bang voor wat andere mensen van me zouden denken, van wat mijn moeder van me gedacht zou hebben, als ze het ooit geweten had."

Ik had haar moeder nooit gekend. Ze was gestorven kort nadat May en Tom waren teruggekomen uit Kenia. Ze praatte niet veel over haar, maar als ze het deed was het altijd met een droefheid waarvan ik dacht dat ik het begreep.

"Ik was er helemaal klaar voor om haar alles te vertellen. Maar toen we thuiskwamen was ze stervende. Ze leed aan kanker. Tom probeerde me ertoe over te halen het toch te doen. Haast te vaak. We gingen er bijna door uit elkaar. Toen mijn moeder overleden was zonder dat ik het haar had verteld, wist ik dat ik het nooit aan iemand zou kunnen vertellen."

"Vertel me over Chris," zei ik, terwijl ik mijn best deed het niet erg te vinden als zomaar 'iemand' te worden beschouwd.

Ze haalde eens diep adem en haar oogleden trilden toen ze wanhopig naar woorden zocht.

"Nance, het had niets te maken met het feit dat... dat ik een kind had voordat ik trouwde of dat je vader zwart was. Dat was het helemaal niet. Chris was werkelijk een fijne man. Hij raakte alleen op het verkeerde pad, helemaal op het verkeerde pad."

De radiator bonsde en het werd warm in de kamer. Maar de kilte zat in mijn botten. Ik had het nog nooit zo koud gehad. Wat ze daarna zei klonk alsof ze het gerepeteerd had tijdens die lange dagen dat we niet met elkaar hadden gesproken. Er was geen sprake van onsamenhangende wartaal of onzekerheid. Ze vertelde haar verhaal net zo precies als ze haar waterverfschilderijen maakte, maar ze had nog nooit een landschap geschilderd dat zo pijnlijk realistisch was als dit.

"We gingen nog maar twee maanden met elkaar toen ik zwanger raakte. Zodra we het ontdekten wisten we dat we onze banen als leraar in Nairobi zouden moeten opgeven. Toen was dat nu eenmaal zo. Maar we zouden trouwen en hij keek uit naar een baan in het noorden. Tenminste, dat dacht ik. Maar nadat jij was geboren verscheen hij steeds voor een dag of twee en verdween dan weer. Ik had niet lang nodig om te begrijpen wat er mis was. Ik had de signalen al eerder gezien toen ik een zomer in de Verenigde Staten had gewerkt, in '76. We maakten ruzie en hij vertrok. Ik dacht dat ik hem nooit meer terug zou zien. Oh, God!"

"Was hij aan de drugs?" vroeg ik hortend. "Die Amerikanen op de foto...?"

"Ze kwamen langs toen Chris op zijn dieptepunt zat. Hij kon geen werk vinden en sommigen van zijn familieleden maakten het hem moeilijk vanwege mij. Annie en Doug waren aan het rondtoeren in Afrika, of liever, ze toerden langs de Afrikaanse drugsscene. Ze eindigden in Marokko, maar pas nadat ze Chris kapot hadden gemaakt."

Ze reikte met haar hand naar het lampje opzij van het bed en knipte het uit. Hoewel de gordijnen open waren, duurde het even voor ik de omtrek van haar gezicht weer kon zien. Al die tijd zei ze geen woord. Beneden ons was Tom nog steeds druk bezig, maar ik vroeg me af of het nodig was. En in gedachten zag ik een verband tussen Chris en OD, een verband dat me niet aanstond. In het donker werd ik verrast door haar stem, omdat hij sterker was geworden.

172

"Er gingen maanden voorbij zonder dat Chris zich liet zien," zei ze. "Ik voelde me compleet verloren. Ik had er geen idee van wat ik moest doen. We woonden bij Heather en zij gaf ons te eten. Toen verscheen Tom ten tonele. Hij en Heather gaven op dezelfde school les en ze gingen samen uit. Wij, jij en ik, verhuisden naar Mombasa. Ik had daar een baantje gevonden als secretaresse. Maar het was er heter, vochtiger ook, en je was altijd ziek. Uiteindelijk gaf de maatschappij me een baan in Nairobi en we gingen terug. Toen leerde ik Tom kennen."

Het werd steeds pijnlijker voor haar, maar ik was bang om dichterbij te komen. Het ritme van haar zinnen vertraagde als een trein die het station nadert.

"Het klikte meteen tussen ons. Ik was er echt niet op uit om hem van haar af te pikken. We pasten gewoon goed bij elkaar en Heather wist dat. Ze was razend en ik kon het haar niet kwalijk nemen. Ik heb zelfs geprobeerd om met Tom te breken, maar hij wilde het niet. De avond dat Heather vertrok, ging hij naar de luchthaven, maar ze wilde niet met hem praten. Dat was de avond dat het allemaal is gebeurd... de akeligste avond van ons leven. Een nachtmerrie, Nance, een nachtmerrie."

Ze wachtte even. De trein kwam aan op zijn bestemming. Een plaats die donkerder was dan de kamer waar we zaten.

"Toen ik Chris binnenliet, wist ik dat we moeilijkheden zouden krijgen. Zijn ogen waren tegelijkertijd dood en verwilderd. Hij wilde jou zien. Je kon net lopen en je zat onder de tafel te spelen."

Oké, het was een nachtmerrie. Mijn nachtmerrie. En mijn nachtmerrie was werkelijkheid. Het had nu net zo goed het verhaal van een ander kunnen zijn, zo afstandelijk klonk ze. Ik veronderstel dat het de enige manier voor haar was om door de zure appel heen te bijten.

"We schreeuwden en krijsten ik weet niet hoe lang tegen elkaar en toen vloog de deur open. Het was Tom."

Nu begon ik het allemaal te snappen, al die beangstigende geluiden in mijn droom. Ik begon net zo hevig te zweten als wanneer ik de droom had, maar ik kon me niet verroeren om mijn jas en sjaal uit te doen.

"Tom wist hem op het portaal te krijgen, maar Chris kreeg de overhand en duwde Tom over de trapleuning. Hij brak zijn dijbeen. Daarom loopt hij mank. Chris reed weg uit Nairobi en kreeg een auto-ongeluk. Hij was op slag dood, hebben ze gezegd, hij heeft niet meer geleden."

Mijn vader, een junkie, een moordenaar bijna. Ik voelde me verslagen. Ik voelde me vies. Ik voelde me een steen. May huilde weer.

"Nance, ik zal het gezicht van die arme Chris nooit vergeten voordat hij vluchtte. Het was de oude Chris, de echte Chris. Hij keek of hij wakker werd uit een nachtmerrie en niet begreep wat hem overkwam, wat hij had gedaan. Hij had zoveel pijn, hij leed zo erg dat ik blij was... het is verschrikkelijk om te zèggen... maar ik was blij dat zijn leven toen afgelopen was, dat er een eind kwam aan zijn lijden."

"Waarom heb je de foto bewaard, May?" vroeg ik.

"Omdat het de laatste goede dag was die we samen hadden, de laatste dag van onze... liefde."

May stortte nu helemaal in. Ze zag er zo klein en kwetsbaar uit onder de dekens dat ik er niet meer tegenkon. Ik ging naar het bed en met een enorme inspanning nam ik haar in mijn armen. Aan de ene kant haatte ik haar omdat ze de vader in mijn gedachten vernietigde en aan de andere kant hield ik van haar omdat ze van hem had gehouden.

Zo bleven we zo lang liggen dat mijn arm, die haar hoofd omsloot, er gevoelloos van werd. Toen Tom bovenkwam en zachtjes op de deur tikte, was ik blij. Voor het eerst in weken waren we weer samen. Ik vertelde ze van Jimmy, maar liet de rest weg. Dat waren OD's zaken, OD's brokken, OD's geheim. Wij hadden de onze. Op een dag zouden ze het misschien te weten komen, maar niet nu. Hoewel ik wist dat het niet gemakkelijk zou zijn om te leven met wat ik wist, was ik blij mijn familie terug te hebben. En OD. Ja, OD had een stuk van de weg afgelegd die Chris naar zijn ondergang had geleid, maar hij was weer opgekrabbeld uit de puinhoop. De weg leidt naar een plaats voorbij het puin en als OD op die weg bleef, dan liep ik met hem mee.

Er bleven genoeg andere dingen voor ons over om te ontdekken. Nieuwe en oude dingen, het leven in Kenia en van de Samburu's, geen perfect leven misschien, maar toch iets dat deel uitmaakt van wat ik ben. May en Tom hadden dat van me weggehouden, om redenen die uiteindelijk niet zelfzuchtig bleken te zijn. Maar ik had mijzelf er ook van weggehouden, veel te lang. Nu verlangde ik ernaar om er meer over te weten en ik verlangde naar de toekomst.

De ochtend kwam en we gaven de nieuwe dag wat tijd om binnen te komen voordat we verder gingen. Tom ging naar beneden om voor ons te kokkerellen. De geur van spek, saus en eieren vulde het huis en het schallende geluid van de zondagochtendradio bracht ons terug in het normale leven. Toen ging de bel. Het was OD. Tom moet het geweten hebben want hij liet mij de deur opendoen.

"Hij haalt het, Nance," zei OD.

"Daar ben ik blij om."

We stonden elkaar aan te kijken. Ik wist dat hij ook de hele nacht was opgebleven, maar hij zag er uitgerust uit, op zijn gemak. Achter me dook Tom op uit de keuken, met opgerolde mouwen en een gezonde rode kop van de warmte in de keuken.

"Ik maak het ontbijt klaar voor de dames, OD," zei hij. "Heb je zin om mee te doen?"

OD wierp een onzekere blik op mij. Toen lachte hij.

"Ja," zei hij, "als je eens wist wat een honger ik heb!"

Verklaring van enkele woorden

Graceland	naam van het landgoed van Elvis Presley, in Memphis, Tennessee. Sinds zijn dood een bedevaartsoord voor talloze muzikanten en fans. Liedje van Paul Simon over zijn tocht naar dit 'beloofde land', op de gelijknamige lp uit 1986, met voornamelijk Afrikaanse muziek.
hattrick	drie doelpunten in één wedstrijd door dezelfde speler gescoord
hurley	Ierse balsport
1 Ierse pond	ca. 50 à 60 BEF, of 2,50 à 3,00 NLG
pool	biljartspel
scrum	de samendrummende hoop spelers rond de bal bij rugby
scrum-half	persoon die achter de scrum staat en de bal vangt
What's the story, morning glory?	titel van een nummer van Oasis

Mark O'Sullivan

Mark O'Sullivan groeide op in het Ierse Thurles als zoon van een bekend Iers dramaleraar. Hij studeerde milieukunde aan het Bolton Street College of Technology in Dublin en volgde ook Engels en filosofie. Sinds 1974 werkt hij als milieukundige voor de South Eastern Health Board. Hij schreef tot nu toe vijf boeken voor tieners. Daarnaast kende hij ook succes met drama, kortverhalen en gedichten, die in verschillende tijdschriften gepubliceerd zijn.

'Zwart-wit' is zijn eerste boek dat bij Clavis vertaald is.

Ontsnapt
June Oldham

Na haar eindexamen wil Mag-
dalen naar de universiteit gaan.
Ze kijkt ernaar uit om eindelijk volledig vrij te zijn. Maar
haar vader heeft andere plannen met haar. Dan loopt ze weg van
huis, weg van haar vader en hun verschrikkelijke geheim. Greg, een
jongen die ze toevallig heeft leren kennen in het pompstation waar
ze werkt, vergezelt haar. Hij helpt haar langzaamaan het verleden
te overwinnen.

+ 14 jaar - ISBN 90 6822 551 0